Maquette et secrétariat d'édition : Filigrane
Dépôt légal : mai 1987
N° d'éditeur 387 — ISBN 2-7318-0239-1

Photocomposition : PFC, Dole
Imprimé par Gruppo Editoriale Fabbri S.p.a., Milano

Avertissement

Dis-moi ce que tu manges, je te dirai qui tu es. Dis-moi ce que tu cuisines, je te dirai comment tu vis. Depuis les temps les plus anciens, l'astrologie a divisé les hommes en douze grandes familles. A chacune correspond une partie du corps, une façon d'être et de réagir devant les événements et devant les autres.

Notre nourriture, la façon dont nous la préparons, nos goûts et nos dégoûts, comme le décor de notre maison, la manière dont nous recevons, le genre de repas que nous aimons, les cadeaux qui nous font plaisir ou les plantes qui nous sont bénéfiques, tout cela dessine notre personnalité.

Chaque signe a ses points faibles, ses points forts et ses grandes tendances. Nombreux sont les spécialistes qui les ont étudiés. Dans les petits livres de cette collection, nous avons fait une synthèse qui vous permettra de mieux vous nourrir selon votre signe ou de mieux connaître ce qui est bon pour une personne qui vous intéresse.

Ce livre est consacré au Verseau. Vous y trouverez les principales caractéristiques plus ou moins marquées des gens nés sous ce signe et les grandes tendances de leur personnalité qui sera développée ou se développera en fonction de leur milieu, de leur pays, de leur volonté et des autres données astrologiques de leur thème. Car les règles de l'astrologie sont assez complexes. En plus du signe de naissance, d'autres éléments interviennent qui ne sont pas à négliger. Votre ascendant, c'est-à-dire le point qui se trouve à l'est de votre thème, détermine, en grande partie, votre tempérament. Il en va de même de l'angle que certaines planètes forment entre elles dans votre ciel de naissance ou de plusieurs autres données, comme par

avertissement

exemple, la position de la lune ou la conjonction de plusieurs planètes dans un même signe. Pour connaître avec exactitude la place où se trouvaient les planètes au jours, à l'heure et dans le lieu de votre naissance, vous pouvez faire appel à un astrologue. Il existe aussi des ordinateurs perfectionnés qui font ces calculs. Et puis, êtes-vous sûr que vous êtes Verseau ? On appartient à un signe lorsque le soleil s'y trouve au jour et à l'heure de la naissance. Un cercle de 360°, dont le soleil fait le tour en un an, est divisé en douze arcs de 30° correspondant chacun à un signe. Dans sa course, le soleil passe, tous les ans, à un moment donné dans chaque signe. Mais l'année compte 365 jours, il y a donc un décalage qui fait que le soleil ne se trouve pas dans chacun des signes, tous les ans exactement à la même date. La différence est minime et ne concerne que ceux qui sont nés à des dates limites. Par exemple le soleil peut, une année, entrer en Verseau le 18 janvier et y rester jusqu'au 20 février et, deux ans plus tard, il peut y entrer le 22 janvier et y rester jusqu'au 19 février. De sorte que, pour ceux qui sont nés aux frontières des signes, il est nécessaire de savoir précisément à quelle date le soleil est entré dans leur signe l'année où ils sont nés, à quelle heure et en quel lieu, car, à un jour près, ils seront Capricorne ou Verseau, ou Poissons...

Un coup d'œil sur le volume consacré à cet autre signe suffira certainement à vous éclairer et, en consultant celui qui correspond à votre ascendant, vous complèterez ces données.

*E*n nous basant sur les grandes lignes de l'astrologie nous avons cherché à tracer le schéma d'un certain art de vivre pour les natifs d'un signe ou avec eux.

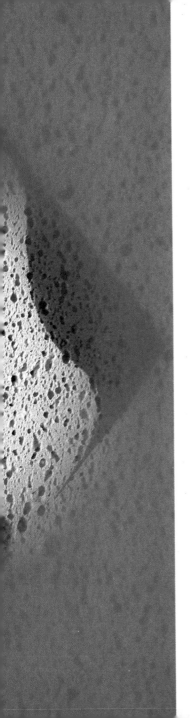

L'ART DE VIVRE

LA MAISON VERSEAU

**Verseau, que vous êtes original !
Votre vie n'est jamais quotidienne ;
chaque jour vous inventez, vous
innovez, loin de la routine vous cultivez
votre différence.**

Votre élément est l'air, votre saison le
cœur de l'hiver, vous symbolisez l'esprit
qui s'élève loin d'un monde froid vers
des domaines spirituels.
On dit que vous n'avez pas les pieds sur
terre — comment le pourriez-vous, votre tête est dans les étoiles — et que
vous n'aimez pas le présent ni le passé
— c'est vrai, seul le futur vous intéresse.
Votre mot-clé c'est l'espérance. Vous
prévoyez des jours meilleurs, une humanité plus fraternelle, une vie plus
libre. En attendant, vous faites preuve
dans vos idées comme dans vos actes
d'une totale liberté.

la maison

Votre maison vous ressemble. Résolument tournée vers le futur, elle semble plus propice aux jeux de l'esprit qu'à la satisfaction de désirs purement matériels. Votre idéal serait d'habiter en haut d'un gratte-ciel de verre et d'acier ou dans une sorte de roulotte futuriste tout en plastique transparent avec une tourelle pour observer les astres.
Original, vraiment vous l'êtes, à mille lieues de la fermette comme du bel appartement bourgeois.
Mais comme l'idéal n'est pas de ce monde — où vous avez le sentiment aigu de ne faire qu'un passage — comment vous logez-vous ?

Si vous en avez eu les moyens, vous avez certainement fait construire votre maison. Elle a même coûté beaucoup plus que prévu ; ce n'est pas votre faute, vous êtes brouillé avec les chiffres. Vous avez fait appel à l'architecte le plus jeune, le plus audacieux et vous avez collaboré avec lui en étudiant les nouveaux matériaux, les techniques de pointe. Si vous aviez pu trouver le terrain, vous l'auriez placée au centre même d'une grande ville.
Mais vous avez besoin d'air, alors elle sera en haut d'une montagne, sur une falaise de bord de mer ou, pourquoi pas, au centre d'un étang.
Tout ce qui est inhabituel, les difficultés que l'homme doit surmonter par son intelligence, voilà ce qui excite votre imagination.
Après, seulement quand il sera trop tard, vous réaliserez que c'est bien loin de tout et que la maison ne correspond en rien à vos besoins !

la maison

Et si, comme c'est probable, vous vous installez dans une maison ou un appartement construit par d'autres, eh bien, vous n'y changerez pas grand-chose. Vous n'avez ni le côté décorateur des Balance ni la manie tapissière des Vierge.

Vous vous contenterez, parce que vous aimez la simplicité et la lumière, de tout repeindre en blanc et de changer, si nécessaire, la vieille moquette par une nouvelle choisie dans les bleus.

Là où vous ferez le plus de travaux, c'est dans la cuisine. Vous n'êtes ni une femme ni un homme d'intérieur mais vous aimez tout ce qu'il y a de plus moderne comme machines et vous avez horreur de perdre votre temps à faire la cuisine, du moins tous les jours et à heures fixes.

Vous aimez donc le tout dernier-né des freezer — et si on obtient les glaçons en appuyant sur un bouton, bravo ! — le four autonettoyant, le micro-ondes, bien sûr, tout ce qu'il faut pour laver, essorer, blanchir, repasser et les robots les plus efficaces et les plus rapides. Vous les choisirez de préférence en acier ou alors tout blancs. Votre cuisine aurait assez l'aspect d'un laboratoire si ce n'est qu'on peut vous faire confiance pour y installer l'objet le plus inutile et le plus insolite. Un buste de Marianne aux cheveux peints en vert, un bouclier de guerrier maori...

Dans le reste de l'appartement aussi, d'autres objets curieux : on a l'impression qu'ils ont été mis là par hasard un jour et qu'ils y sont restés.

Le tout est plutôt simple, très moderne,

la maison

harmonieux : du bleu, du gris, du blanc, des stores intérieurs — plutôt que des rideaux —, des meubles laqués, des sièges en aciers et en toile. L'ambiance serait bien froide, s'il n'y avait la cheminée. Les Verseau adorent les feux de bois, ils peuvent regarder les flammes pendant des heures : assis sur des coussins en bouquinant, en écoutant Django Reinhardt ou Alban Berg, en croquant des chocolats à la menthe, en oubliant de dîner...

La salle à manger reflète les différents aspects de la personnalité de son propriétaire : une table ronde ou ovale, à pied central — parce qu'on peut mieux y placer les invités de dernière minute — avec un plateau de marbre ou de gros bois lessivé jusqu'à ce qu'il paraisse presque blanc. Des chaises moulées en matière plastique ou des fauteuils en osier. Entre son goût futuriste et son amour de l'écologie, le Verseau n'hésite pas : il marie les deux avec bonheur. Sur une nappe de gros lin écru, il posera des assiettes carrées bleu nuit, des couverts en acier aux formes révolutionnaires, des verres aux pieds torsadés et une coupe de fleurs des champs. La table n'est jamais conventionnelle et, bien qu'elle donne toujours une impression d'harmonie, son décor est aussi changeant que les humeurs Verseau. Manger le même menu, cela ne le dérange pas mais, dans la même assiette, c'est insupportable !

Les Verseau sont d'ailleurs les champions des changements d'assiettes. A chaque repas, il leur en faut trois ou quatre : ils finissent rarement leur plat et détestent la vue des restes.

la maison

Tout en gardant certains objets de base auxquels ils sont attachés, ils aimeraient toujours avoir de nouveaux accessoires pour leur table, comme une femme qui, changeant de ceinture et de bijoux transforme tous les jours sa petite robe noire. Ils jouent des bougeoirs, des centres de table, des dessous de verres. Ils aimeraient aussi avoir des bols de couleur unie ou plus exactement des petites coupelles dans lesquelles on peut servir des soupes mais aussi, des salades, des compotes ou du riz.

S'ils n'ont pas d'invités, les Verseau se mettent rarement à table. Ils se préparent un plateau et mangent devant la cheminée ou plutôt devant la télévision. Même si le programme est mauvais, ils trouvent toujours quelque chose qui les intéresse : « Ce western est idiot mais les paysages du Nouveau-Mexique... » Et, s'ils sont seuls — cela ne leur arrive pas souvent —, ils en profitent pour faire des rangements. Qu'il soit 9 heures du matin ou 9 heures du soir, ils peuvent passer l'aspirateur ou vider les placards de la cuisine. Pas maniaques et peu réguliers, ils ont des accès de nettoyage ou une fièvre soudaine de pâtisserie, alors ils essayent cinq gâteaux nouveaux dont ils avaient la recette depuis deux ans et... ils téléphonent aux amis pour qu'ils viennent les déguster.

L'INVITÉ VERSEAU

L'invité Verseau doit être distrait. Ce qu'il redoute plus que tout c'est l'ennui qui, pour lui, naît toujours de l'uniformité. Partout où il va son esprit curieux cherche la nouveauté. Aimable, il accorde son attention aux autres. Critique, s'il n'est pas intéressé, il s'évade en esprit et rejoint son monde imaginaire.

Vous l'avez invité. Mais d'abord, comment avez-vous fait pour connaître son signe ?
Vous n'êtes pas très versé en astrologie, vous n'avez pas su reconnaître en Monsieur ou Madame Verseau le rêveur futuriste, l'utopiste gracieux avec son regard limpide et son visage mobile. Il est celui qui ne sait pas dire non mais érige sa faiblesse en force et sort des ennuis — où sa distraction le mène souvent ! — avec une idée surprenante et un sourire modeste.

l'invité

Dernier signe d'air, le Verseau symbolise l'homme libéré qui se détache des choses matérielles. Il représente aussi la communion des âmes dans l'univers. Les personnes nées sous ce signe sont très marquées spirituellement mais peuvent être physiquement très différentes, ce qui rend, leur définition astrale difficile.

Il vaut mieux, par conséquent, poser la question. Un Verseau est toujours ravi de parler d'astrologie — comme, d'ailleurs, de toutes les sciences occultes qu'il connaît fort bien. Il ne fera aucune difficulté pour vous dire son signe : il en est fier, il sait, lui, que nous entrerons au début du XXIe siècle dans l'ère du Verseau qui représente une évolution de la conscience de l'humanité.

Donc c'est un Verseau. Comment l'inviter ?

Comme vous voulez : il n'attache guère d'importance à la forme ; à l'élégance, oui, aux usages, non. Et puis il déteste tout ce qui est prétentieux. Alors téléphonez. Dites le jour et l'heure. Il n'a guère la notion du temps, il sera probablement en avance ou en retard, mais pas de beaucoup. Si vous pouvez ajouter que ce sera une petite fête, il sera enchanté — il adore.

Et vous ferez une fête. Même si vous êtes peu nombreux, huit ou dix — ce qui pour un Verseau est très, très intime — arrangez-vous pour trouver quelque chose à célébrer. L'anniversaire de la Déclaration des droits de l'homme ou des premiers pas sur la Lune... Si vous n'avez rien dans votre calendrier fami-

l'invité

lial, l'histoire ne vous fera pas défaut ! Accueillez-le avec du champagne. Préparez beaucoup de choses à grignoter aux quatre coins de la pièce, il dévorera tout en se déplaçant pour parler à tous. Ne vous pressez donc pas de passer à table.

La table sera simple. La mise en scène déplaît au Verseau.
Côté nourriture, la nouvelle cuisine a tout pour lui plaire. Côté vins, on ne sait jamais, il a peut-être changé de goût depuis la semaine dernière et ne jure plus que par le bourgogne ! Alors offrez-lui un vin moins connu comme un condrieu, c'est délicieux !

Pour un Verseau, « intéressant » est un mot magique ; faites en sorte qu'il puisse l'appliquer à ses voisins. Il parle beaucoup c'est vrai, mais pas à tout le monde. Si vous le voyez tout à coup passionnément intéressé par un tableau sur le mur, son regard passant au-dessus des têtes, soyez sûr qu'il a quitté votre table et, que sur sa soucoupe volante, il en est déjà à mille lieues. Comme voisins « intéressants », proposez-lui des Bélier fonceurs, des Gémeaux imaginatifs, des Balance sociables ou des Sagittaire idéalistes. Méfiez-vous des Cancer et des Poissons embrumés, des Scorpion qui excitent son ironie et des Capricorne trop sérieux. Quant aux Taureau et aux Vierge, ou ils communieront dans une même sensibilité de la beauté, ou le Verseau s'amusera à les choquer, ce qui est facile, si facile !
Prévoyez des digestifs : votre invité risque de rester tard, très tard !

TRUITES SAUCE SULTANE

l'invité

Pour 4 Personnes

- ☐ 4 truites
- ☐ 50 g de crevettes grises décortiquées
- ☐ 250 g de champignons
- ☐ 4 cœurs d'artichauts crus
- ☐ 12 gros grains de raisin
- ☐ 1 gousse d'ail dans sa peau
- ☐ 1 carotte en rondelles
- ☐ 1 jaune d'œuf dur
- ☐ 1 oignon en tranches
- ☐ 1/2 verre de vin blanc sec
- ☐ 1 cube de bouillon de poule
- ☐ 1 bouquet de persil
- ☐ 1 feuille de laurier
- ☐ 1 pincée de thym
- ☐ 1 clou de girofle
- ☐ 4 galettes de riz
- ☐ sel, poivre du moulin

■ Chauffez 1/4 de litre d'eau avec le cube de bouillon, le vin, l'ail, la carotte et tous les arômates. Cuisez à feu doux 1 h. Filtrez ■ Faites dans la chair des truites des incisions dans lesquelles vous glisserez une crevette. Pelez et épépinez les grains de raisin ■ Nettoyez les champignons. Hachez-les avec les artichauts et le persil. Salez et poivrez ■ Mettez une galette sur un torchon humide. Humidifiez-la légèrement à l'aide d'un coton mouillé. Répartissez au centre de la galette le quart du hachis, posez la truite par-dessus et glissez dans le ventre 3 grains de raisin ; repliez la galette. Procédez de la même façon pour chaque truite ■ Cuisez-les à la vapeur 25 mn. Réchauffez la sauce, mixez-la avec l'œuf ■ Servez les truites accompagnées de cette sauce.

FEUILLETON DE LA VEILLÉE

Pour 4 Personnes

- □ 10 fines tranches de grillade de porc
- □ 350 g de foies de volaille
- □ 250 g de châtaignes
- □ 2 œufs
- □ 2 échalotes
- □ 1 branche de céleri
- □ 1,5 dl de crème fraîche
- □ 1 cuil. à soupe de pastis
- □ 1 cuil. à café de sucre en poudre
- □ 1 cuil. à café de muscade
- □ 1 crépine
- □ 40 g de beurre
- □ huile pour friture
- □ sel, poivre du moulin

■ Aplatissez les grillades au rouleau à pâtisserie. Saupoudrez-les de muscade. Salez, poivrez et laissez-les au frais 2 h. Fendez l'écorce des châtaignes et plongez-les 2 mn dans la friture chaude. Égouttez-les et épluchez-les encore chaudes ■ Mettez-les dans une cocotte contenant un verre d'eau, ajoutez le céleri, le sucre et une pincée de sel. Cuisez à feu vif jusqu'à l'ébullition, couvrez et cuisez à feu doux 40 mn. Égouttez-les ■ Pelez les échalotes et faites-les blondir 5 mn dans le beurre chaud avant d'ajouter les foies de volaille. Faites-les sauter 5 mn ■ Mixez le tout avec les œufs et du sel. Brisez grossièrement les châtaignes et incorporez-les ■ Tapissez une terrine de la crépine, remplissez-la en intercalant les grillades et la farce. Repliez la crépine, couvrez la terrine et cuisez à four chaud (190°, th. 6) 1 h ■ Chauffez la crème avec le pastis ■ Servez le feuilleton chaud accompagné de la crème.

POMMES MARIA CHAPDELAINE

Pour 4 Personnes

- ☐ 4 pommes golden
- ☐ 50 g de chapelure
- ☐ 30 g de poudre d'amandes
- ☐ 1/2 verre à moutarde de rhum
- ☐ 30 g de beurre
- ☐ 1/2 pot de confiture de myrtilles
- ☐ 1 cuil. à café de cannelle en poudre
- ☐ 3 cuil. à soupe d'huile

■ Pelez les pommes, coupez-les en deux, ôtez le cœur et les pépins ■ Versez le rhum dans un plat creux, ajoutez les pommes et laissez-les macérer 1 h en les retournant de temps en temps ■ Dans une assiette creuse, mélangez soigneusement la chapelure, la cannelle et la poudre d'amandes ■ Roulez les pommes égouttées mais humides dans ce mélange ■ Dans une sauteuse, faites chauffer le beurre et l'huile, ajoutez les pommes et faites-les cuire à feu doux 15 mn en les retournant délicatement à mi-cuisson à l'aide d'une spatule en bois afin de ne pas les briser. Tenez-les au chaud sur un plat ■ Dans une casserole, chauffez le rhum de la macération en y délayant la confiture avant d'arroser les pommes de ce sirop bouillant ■ Servez chaud.

LE COPAIN VERSEAU

Copains-copines, copains-copains, copains-tendresse les Verseau. L'amitié et l'amour, pour eux, c'est pareil et ils ont un cœur très généreux.

Votre vie n'est pas assez longue, votre maison assez grande et vos moyens assez importants pour recevoir tous ceux que vous voudriez accueillir. Si vous n'étiez pas un signe d'air relativement instable, sur terre dans la vie quotidienne, vous auriez transformé votre demeure en refuge pour les sans-abri, les orphelins... Sur vos vieux jours vous le ferez peut-être, mais en attendant, portes grandes ouvertes, vous recevez les copains. De tous les signes du zodiaque, vous êtes le seul chez qui on puisse arriver à n'importe quelle heure du jour ou de la nuit, assuré de toujours trouver un bon accueil.

Ce que vous avez, vous le partagez de bonne grâce, du saumon comme des pommes de terre et vous pouvez donner votre matelas pour dormir vous-même

19

le copain

sur le sommier. Vos amis le savent bien qui usent et abusent de vous. Ils amènent même des gens que vous ne connaissez pas. Vous pensez « les copains de mes copains sont mes copains » et vous les recevez comme si vous n'attendiez qu'eux. Ils deviendront peut-être de nouveaux amis. Mais si, par hasard, ils ne vous plaisent pas, ils ne reviendront jamais : vous avez une façon de les fixer de votre regard limpide, une manière de faire de l'humour à froid à leurs dépens qui les découragent plus sûrement que toutes les portes fermées.

Avec vous, on ne sait jamais de quoi sera faite la journée. On sait seulement qu'on ne s'ennuiera pas. S'il y a dans les environs une exposition, une foire, un marché, vous irez en bande. Vous rapporterez des chapelets d'ail, un chapeau de paille ou un nouvel outil sophistiqué. Vous n'êtes pas du tout bricoleur, quand c'est cassé, on jette. Mais vous ne résistez pas aux nouveautés. Vous voulez voir comment ça marche et, si vous êtes capable de démonter le bel outil sur l'heure, il est bien possible que vous ne le remontiez jamais. Ce qui vous intéressait c'était de bien comprendre pas d'utiliser.

Quand vous allez au marché, vous achetez ce qui vous passe par la tête sans faire de liste, sans chercher le meilleur rapport qualité-prix. Cette idée même vous est étrangère. Vous prenez des pêches parce qu'elles sont jolies ou qu'elles sentent bon, des abricots parce que le vendeur a une bonne tête, des cassis parce que vous avez lu quelque chose sur la vitamine C... Au retour,

le copain

vous êtes tout surpris de constater que vous n'avez acheté aucun légume. Tant pis, on fera du riz, pensez-vous, et s'il n'y en a pas, eh bien on ira au restaurant.

Votre idéal serait qu'il y ait un petit restaurant sympathique tout près de chez vous et que vous puissiez y tenir table ouverte pour tous les copains. Faute de quoi, vous improvisez... Vos amis vous connaissent, aussi ils arrivent souvent avec un pâté en croûte ou un bœuf mode en gelée. Ce qui vous donne le temps de « faire des choses ». Par exemple, d'organiser des jeux de plein air. Vous n'êtes pas très sportif et ne goûtez guère le plaisir de courir derrière un ballon qu'il soit rond ou ovale. La compétition vous ennuie. Vous aimez bien le volley-ball mais ce qui vous convient le mieux sont les jeux de jardin. On y joue sans se presser tout en prenant l'air et en faisant la conversation. « Voilà qui est civilisé », pensez-vous, en lançant des boules de pétanque ou en frappant le maillet du croquet, que vous êtes seul capable de remettre à la mode.

Vous aimez aussi beaucoup les jeux de société. Votre esprit y fait merveille. Vous en organisez souvent, charades de toutes sortes, petits papiers, cadavres exquis...
On rit beaucoup, on grignote des sandwichs, on boit du vin frais, on ne voit pas le temps passer et c'est déjà le soir. Mais, rester donc dîner.
Il n'y a pas grand-chose qu'importe ! on écoutera du Mozart !

le copain

PATATE PARTIE

Pour 8 Personnes

□ 2 kg de pommes de terre Belle de Fontenay

■ Lavez et essuyez les pommes de terre. Enveloppez chaque pomme de terre dans du papier aluminium et cuisez-les à four chaud (230°, th. 8) 10 mn. Baissez le thermostat à 5 et poursuivez la cuisson 45 mn en les retournant à mi-cuisson ■ Servez les pommes de terre coupées en deux. Mangez-les à la cuillère en y mettant un peu du plat choisi, les pommes de terre servant à la fois de récipient et de nourriture.

BEURRE DE MOELLE

Pour 8 Personnes

□ 4 échalotes nouvelles en fines rondelles
□ 1 cuil. à soupe de persil haché

□ 4 os à moelle
□ 1 forte pincée de muscade râpée
□ sel
□ poivre du moulin

le copain

■ Faites dégorger les os à moelle 2 h à l'eau froide. Retirez la moelle des os et hachez-la finement. Mélangez-la avec les échalotes et le persil ■ Mettez-les dans une petite casserole avec la muscade, du sel et du poivre ■ Chauffez très doucement, le beurre est prêt lorsque la moelle est à moitié fondue.

EFFEUILLÉE DE CABILLAUD

Pour 8 Personnes

□ 1 kg de cabillaud
□ 3 oignons émincés
□ 2 carottes émincées
□ 2 cuil. à soupe de cary
□ 1 dl de lait
□ 1 cuil. à soupe de sucre en poudre
□ 1 cuil. à soupe de confiture de gingembre
□ 40 g de saindoux
□ sel

■ Cuisez le cabillaud à l'eau bouillante salée juste frémissante et laissez-le refroidir 20 mn dans l'eau de cuisson. Ôtez la peau et les arêtes. Éffeuillez-le ■ Chauffez le saindoux dans une cocotte, dorez-y les oignons et les carottes 5 mn avant d'ajouter le cary, le sucre, la confiture et du sel. Mélangez en y ajoutant le lait. Couvrez et cuisez la sauce 20 mn à feu doux avant d'ajouter le cabillaud. Poursuivez la cuisson 10 mn.

le copain

AIGUILLETTES JANUSKA

Pour 8 Personnes

- □ 500 g de bœuf dans la macreuse
- □ 4 oignons en fines rondelles
- □ 1 cuil. à café de paprika
- □ 1 cuil. à café de cumin en poudre
- □ 1 gousse d'ail
- □ 4 cuil. à soupe de crème
- □ 4 cuil. à soupe de coulis de tomates
- □ 40 g de saindoux
- □ sel
- □ poivre du moulin

■ Taillez le bœuf en fines aiguillettes. Dans une cocotte, chauffez le saindoux à feu moyen. Dorez-y les oignons 5 mn avant d'ajouter le cumin, le paprika et le coulis de tomates. Salez et poivrez ■ Ajoutez les aiguillettes de bœuf et l'ail non épluché. Mouillez d'eau à hauteur de la viande, couvrez et cuisez à feu doux 2 h. Ajoutez la crème en fin de cuisson.

VERSEAU

le copain

Pour 8 Personnes

- ☐ 350 g de pommes de terre Bintje
- ☐ 3 œufs
- ☐ 70 g de sucre
- ☐ le zeste et le jus d'un citron
- ☐ 25 g de beurre
- ☐ 1 pincée de sel

■ Cuisez les pommes de terre dans leur peau à four chaud (210°, th. 7) 50 mn. Coupez-les en deux, retirez la pulpe et passez-la au travers d'un tamis fin ■ Cassez les œufs en séparant les blancs des jaunes. Ajoutez aux pommes de terre les jaunes d'œufs, le sucre, le zeste et le jus de citron ainsi que le sel ■ Pétrissez longuement avant d'incorporer délicatement les blancs battus en neige ■ Versez la préparation dans un moule à manqué beurré et cuisez à four chaud (190°, th. 6) 30 mn. Laissez refroidir la parmentière avant de la démouler.

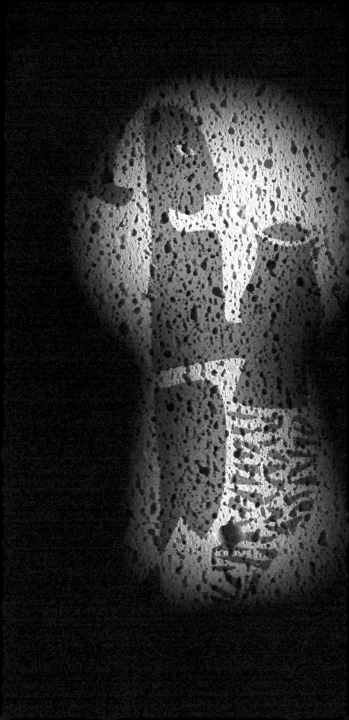

LA SÉDUCTION

VERSEAU SEDUCTION ELLE

Pour vous séduire, Madame Verseau, il faut être romantique. « Votre âme est un paysage choisi » et, pour la charmer, il faut être aussi léger que les masques du poème de Verlaine « quasi tristes leurs déguisements fantasques ».

Une certaine mélancolie vous attire, douce et aérienne. Les déguisements, plus ils sont fantasques et plus ils vous plaisent.
Derrière la femme d'esprit, en avance sur son époque, se profile une éternelle jeune fille au cœur romantique.
Signe d'air et du futur vous voulez toujours aller ailleurs, plus loin, mais, signe d'hiver, vous éprouvez une certaine difficulté à bouger. Que votre esprit vagabonde tandis que vous restez bien au chaud, à l'abri, et vous voilà comblée.
Alors on vous emmènera dans un lieu paisible et c'est votre cœur seul qu'on

28

séduction elle

invitera au voyage.

Pour commencer, on vous offrira, dans un grand verre très beau, du curaçao bleu, de la Chartreuse verte ou de l'eau de noix ambrée — selon la couleur de vos yeux — avec beaucoup de glace pilée. On écoutera un lied de Schubert, on ouvrira un livre de poèmes...

On vous offrira des nourritures légères, aux goûts subtils. Tout sera déjà découpé en petits morceaux pour que vous puissiez y picorer d'une fourchette distraite. Comme vin, peut-être un tokay d'Alsace, les signes d'air ont un goût certain pour le vin blanc, et vous l'aimez fruité et moelleux.

Si l'on vous emmène à la campagne... mais voilà une très bonne idée — surtout si c'est à la tombée du jour et que quelque brume vagabonde s'accroche à la cime des arbres. Car surtout pas de désert, de paysage aride, de soleil brûlant, de montagnes escarpées ou de plaines à perte de vue. Là, votre angoisse pourrait aller jusqu'au vertige. Mais dans un joli paysage « humain » en Touraine, en Toscane ou sur les bords du Rhin, par exemple, vous flânerez avec bonheur.

Quelques visites chez des vignerons pour déguster de petits vins, un dîner paisible dans une auberge et, si le ciel est clair, une promenade pour que vous puissiez nommer par leur nom toutes les belles étoiles que vous connaissez, vos sœurs lumineuses.

Douceur de la ville, ciel étoilé de campagne, avec qui partagerez-vous ces invitations au voyage sentimental ? Rarement avec un Bélier — il n'a vu en vous que l'Ève du futur.

séduction elle

Frileusement avec un Capricorne — vous êtes deux signes d'hiver mais, lui qui a les pieds sur terre, il grelotte.

Sentimentalement avec un Taureau — il est si tendre mais si peu romanesque.

Légèrement avec un Gémeaux — dans une danse tellement aérienne que le moindre nuage peut vous séparer.

Peureusement avec un Scorpion — il vous entraîne au royaume des instincts obscurs. Vous voulez voir. Vous avez vu... vite, vite de l'air.

Publiquement avec un Lion — que d'élégance, de prestige, de notoriété ! A force de dire à tout le monde que vous êtes un couple, vous finissez par le croire.

Délicieusement avec un Verseau — si l'amour est un jeu, vous êtes tous les deux gagnants.

Ardemment avec un Sagittaire — il n'a qu'un idéal, vous les avez tous, comme vous l'enviez !

Rêveusement avec un Cancer — cœur à cœur au clair de lune.

Délicatement avec un Vierge — il admire votre fantaisie, vous appréciez sa finesse, mais, en noble dame, vous le traitez en troubadour.

Mystérieusement avec un Poissons — vous étiez masqué, lui aussi, était-ce bien lui ? était-ce bien vous ?

Idéalement avec un Balance — c'est l'accord parfait sur tous les plans, une musique céleste...

SALADE BAGATELLE

Pour 2 Personnes

- ☐ 12 langoustines
- ☐ 3 blancs de poireaux
- ☐ le jus de 2 citrons verts
- ☐ 2 jaunes d'œufs durs
- ☐ 50 g de beurre
- ☐ 1 yaourt goût bulgare
- ☐ 1 verre à liqueur de whisky
- ☐ 14 grains de poivre vert lyophilisés
- ☐ sel

■ Décortiquez les langoustines, mettez-les dans un saladier avec le jus des citrons et 10 grains de poivre concassés. Laissez-les macérer 2 heures ■ Pendant ce temps, lavez les blancs de poireaux, émincez-les et faites-les cuire dans le beurre à feu doux 20 mn. Laissez-les refroidir avant de les mixer avec les jaunes d'œufs, le yaourt, du sel et le reste de poivre vert ■ Retirez les langoustines de leur macération, épongez-les, arrosez-les du whisky chaud et flambez-les ■ Disposez 10 langoustines sur un ravier ■ Coupez les deux autres en fines tranches et mélangez-les à la sauce ■ Versez cette sauce par-dessus les langoustines ■ Mettez au frais 1 h avant de servir.

séduction elle

ESCALOPES DE VEAU PAILLARDES

Pour 4 Personnes

- ☐ 2 escalopes de veau
- ☐ 20 g de gruyère râpé
- ☐ 20 g de comté râpé
- ☐ 20 g de chapelure
- ☐ 1 verre de madère
- ☐ 1 petite boîte de pelures de truffe
- ☐ 50 g de beurre
- ☐ sel, poivre

■ Mélangez les fromages avec la chapelure. Salez et poivrez les escalopes des deux côtés. Dorez-les 5 mn à la poêle dans 20 g de beurre en les retournant à mi-cuisson ■ Posez-les sur un plat à four pouvant aller à table. Saupoudrez-les régulièrement du mélange fromages-chapelure et cuisez-les à four chaud (210°, th. 7) 12 mn. Pendant ce temps, hachez menu les pelures de truffe. Mettez-les dans une petite casserole avec le madère ■ Cuisez à feu doux 10 mn. En fin de cuisson, ajoutez le reste de beurre. Salez, poivrez ■ Versez cette sauce bouillante sur les escalopes et servez très chaud dans le plat de cuisson.

GRANITÉ FEU VERT

Pour 2 Personnes

- □ 115 g de sucre glace
- □ le jus de 1/2 citron
- □ 10 g de feuilles de menthe poivrée
- □ 2 petits bouquets de menthe fraîche
- □ 1 cuil. à café d'alcool de menthe

■ Mettez au frais les coupes où vous servirez le granité ■ Faites infuser la menthe poivrée 10 mn dans 2,5 dl d'eau bouillante, ajoutez le sucre et, dès qu'il sera complètement fondu, filtrez la menthe avant d'ajouter le jus de citron puis, après complet refroidissement, l'alcool de menthe ■ Versez ce liquide dans un moule que vous laisserez 3 h au congélateur. Détachez toutes les 15 mn environ à l'aide d'une fourchette, les paillettes qui se forment sur les parois et le fond du récipient en les ramenant vers le centre mais en évitant au maximum de travailler en profondeur le granité afin qu'il reste le plus transparent possible ■ Servez-le dans les coupes. Décorez le dessus des petits bouquets de menthe fraîche.

VERSEAU
SEDUCTION
LUI

Pour vous séduire, Monsieur Verseau,
il faut être votre amie.
**C'est sur un piédestal que vous mettez
LA femme. Celle qui doit être mère,
épouse, maîtresse et amie. Votre ombre
attendrie et votre inspiratrice.**

Si vous la placez si haut c'est aussi
que, méfiant, il vous plaît de ne l'ad-
mirer que de loin.
Peut-être l'avez-vous déjà rencontrée ou
n'est-ce qu'une inconnue aperçue dans
un train ou, même, un personnage de
roman. Bien installée sur son piédestal,
elle vous laisse toute liberté de vous
livrer à votre sport favori : l'amitié-
amoureuse.

Amicalement donc, on vous invitera à
dîner. Les fenêtres seront grandes ouvertes. Même s'il fait froid, montez le
chauffage car si vous voulez plaire à un
Verseau, il faut laisser entrer l'air et la
nuit. Quand il arrivera, en retard bien

séduction lui

sûr, Sade (ou Sarah Vaughan) chantera doucement, et le cocktail sera glacé dans le shaker. Un Martini dry et une olive verte farcie pour décorer.

Que le dîner soit prêt sur une desserte, que le vin de Loire soit au frais et la table raffinée mais simple. Si l'on n'est pas au courant de votre conviction du jour — écolo ou ultra-mode — on ne risque rien en restant dans le tout blanc, même le bouquet central. Côté nourriture, comme vous changez aussi facilement de goût, il faudrait, comme au restaurant, vous proposer de dîner à la carte. Et pourquoi pas s'il y a un four à micro-ondes ?
Mais surtout que vous n'ayez rien à faire et qu'on ne vous entretienne pas de problèmes domestiques. Le plus sûr moyen de vous faire fuir est de vous mettre devant une télévision en panne ou de vous parler des fins de mois... On vous parlera d'art, de culture, de magie ou, plutôt, on vous écoutera...

Si vous êtes d'humeur « retour à la terre » — ce qui vous arrive parfois pour compenser vos penchants pour l'informatique et autres robotiques —, vous emmènerez votre amie déjeuner à la campagne la plus « paysanne » qui soit. Vous y ferez une orgie de produits naturels. Vive le lait de ferme, les « vrais » œufs, les « vrais » légumes, le cidre et la « goutte » ! Vous irez peut-être dans votre enthousiasme jusqu'à vous coucher dans le foin ou vous rouler dans les prés : quand vous descendez sur terre, vous ne faites pas les choses à moitié !

séduction lui

A midi ou à minuit, en ville ou dans les champs, avec quelle amie, passerez-vous ces moments délicieux ?
Rarement avec une Scorpion —, mais comment supporter tant de passion.
Épisodiquement avec une Sagittaire — elle va tout droit, vous faites des zigzags. Quand vous vous rencontrez, c'est l'étincelle puis vos chemins se séparent.
Courtoisement avec une Vierge — mais si elle insiste pour fermer les fenêtres, vous prenez la porte.
Voluptueusement avec une Taureau — elle est si douée pour tous les plaisirs de la terre, vous adorez... quand vous ne vous envolez pas !
Espièglement avec une Gémeaux — vous êtes capables tous les deux de bien des farces, la meilleure serait un couple inséparable.
Tendrement avec une Cancer — mais vous n'aimez pas les larmes surtout si c'est vous qui en êtes la cause.
Peureusement avec une Capricorne — sa logique vous fascine et... si elle allait prouver que la femme idéale, c'est elle !
Rapidement avec une Bélier — mais, entre de brèves rencontres, vous avez le temps de construire un roman.
Langoureusement avec une Poissons — elle est encore plus fuyante que vous, ce qui n'est pas pour vous déplaire.
Délicieusement avec une Verseau — si l'amour est un jeu, vous êtes tous les deux gagnants.
Royalement avec une Lion —, comment pourriez-vous résister à la star !
Merveilleusement avec une Balance — si, on doit envoyer un couple peupler l'espace, nul doute, c'est vous qui irez.

séduction lui

VOLUPTUEUX D'AVOCAT

Pour 2 Personnes

- □ 1 avocat
- □ 10 beaux grains de raisin muscat
- □ le jus et le zeste d'un citron
- □ 1 verre à liqueur de vodka poivrée

- □ 4 œufs de caille
- □ 1 dl de crème fraîche épaisse
- □ 1/2 cuil. à café de gingembre en poudre
- □ sel

■ Cuisez les œufs de caille 3 mn à l'eau bouillante salée. Écalez-les et laissez-les refroidir ■ Coupez l'avocat en deux, retirez le noyau, détachez la chair sans abîmer les demi-écorces et enduisez-les légèrement de jus de citron ■ Pelez et épépinez les grains de raisin. Dans le bol du mixer, mettez la chair de l'avocat, la crème, la vodka, le reste de jus de citron, le gingembre et du sel. Mixez en crème ■ Ajoutez, en tournant délicatement, les grains de raisins à la préparation ■ Remplissez-en les écorces, posez sur le dessus les œufs de caille et tenez au frais jusqu'au moment de servir.

séduction lui

PAUPIETTES GAILLARDES

Pour 2 Personnes

- ☐ 4 fines tranches de noix de veau
- ☐ 1 cèpe de 150 g environ
- ☐ 1 belle tranche de jambon cuit
- ☐ 75 g de mousse de foie de canard
- ☐ 1 verre de porto
- ☐ 1 petite boîte de pelures de truffe
- ☐ 1 cuil. à soupe de cognac
- ☐ 1 cuil. à soupe de coulis de tomates
- ☐ 60 g de beurre
- ☐ sel
- ☐ poivre du moulin

■ Nettoyez le cèpe et coupez-le en petits dés. Hachez le jambon. Ciselez les pelures de truffe ■ Faites fondre 40 g de beurre dans une poêle où vous ferez étuver à feu doux les cèpes et le jambon 10 mn ; ajoutez le cognac, du sel et du poivre et poursuivez la cuisson 2 mn ■ Hors du feu, incorporez la mousse de foie en l'écrasant à la fourchette et laissez refroidir ■ Aplatissez les tranches de noix de veau au rouleau à pâtisserie et garnissez-les de la préparation. Roulez et ficelez en forme de paupiettes ■ Dans une cocotte, faites chauffer le reste de beurre à feu doux avant d'ajouter les paupiettes, les pelures de truffe, le porto et le coulis de tomates ■ Cuisez couvert à feu très doux 30 mn. Débarrassez les paupiettes des ficelles et servez-les posées sur les tranches de pain de mie frites au beurre. Recouvrez-les de la sauce et servez.

séduction lui

P<small>our</small> 2 Personnes

- □ 2 œufs
- □ 50 g de sucre en poudre
- □ 200 g de crème fleurette
- □ 1 plaque de chocolat amer
- □ 65 g de farine
- □ 1 morceau d'écorce d'orange confite
- □ 1 cuil. à soupe de jus d'orange
- □ 20 g de beurre
- □ 1 pincée de sel

■ Cassez les œufs en séparant les blancs des jaunes ■ Fouettez les jaunes avec le sucre jusqu'à ce que le mélange blanchisse. Versez par-dessus la farine en pluie et mélangez ■ Battez les blancs en neige ferme avec le sel. Incorporez-les délicatement à la préparation ■ Beurrez et farinez un moule à biscuit rond. Versez-y la préparation et cuisez aussitôt à four chaud (170°, th. 5) 30 mn. Vérifiez la cuisson en piquant un couteau — la lame doit ressortir nette — poursuivez au besoin la cuisson encore 5 mn ■ Démoulez chaud sur une grille. Ciselez le plus finement possible l'écorce confite ■ Fouettez 150 g de crème bien fraîche avec un glaçon jusqu'à ce qu'elle ait doublé de volume. Incorporez délicatement l'écorce. Taillez un petit couvercle sur le biscuit, creusez l'intérieur sans abîmer les bords. Remplissez le creux de la crème et remettez le couvercle ■ Faites fondre le chocolat avant d'ajouter le reste de crème ; enduisez le gâteau de la crème au chocolat et laissez au frais 30 mn avant de servir.

LES CADEAUX VERSEAU

Pour leur maison

Un wok — la casserole à fond bombé des Chinois s'ils n'en ont pas déjà un !

Un bocal de pruneaux à l'armagnac — ou une liqueur aux herbes, leur petite douceur d'après dîner, et l'alibi que c'est « bon pour digérer ! »

Des coupelles — ils n'en ont jamais assez. En porcelaine bleue, c'est leur couleur.

Un germinateur — pour faire pousser à la maison des germes de blé, de haricot, de sésame, de luzerne...

Un jeu de croquet — ou des boules de pétanque et, s'ils n'ont pas de jardin, un billard ou un flipper.

Un robot — le tout dernier sorti aux arts ménagers, un four à micro-ondes, une centrifugeuse.

Et tout, tout, tout ce qu'il y a de plus nouveau comme gadget pour qu'ils s'amusent dans leur cuisine.

Pour elle

Un bouquet de lys, sa fleur selon le zodiaque et selon son cœur.

Des chocolats — noirs et fourrés à la crème de menthe. Une grande boîte qui ne restera pas longtemps pleine.

Un flacon de parfum — Chamade, de

les cadeaux

Guerlain qu'elle personnalisera avec une goutte de Cabochard, de Grès.

Un disque — laser évidemment. *Le concerto à la mémoire d'un ange* d'Alban Berg, un Verseau, ou une œuvre du plus grand musicien du signe, le divin Mozart.

Une veste — en lamé bleu. Elle la mettra peut-être sur un blue-jean avec des escarpins de satin — elle est tellement originale !

Une carte — de la Lune, un télescope, un livre sur les soucoupes volantes, *l'Odyssée de l'espace* pour son magnétoscope.

Et tout, tout, tout pour qu'elle prépare en rêve son prochain voyage vers Mars.

Pour lui

Un shaker — pour qu'il se révèle avec fierté le plus inventif des barmans.

Une montre — qui fonctionne à l'énergie solaire ; à la pointe du progrès et « écolo », c'est la montre qu'il lui faut.

Un livre — sur l'architecture actuelle pour qu'il puisse faire les plans de la maison qu'il voudrait construire.

Des chaussettes — très douces et très chaudes il a toujours froid aux pieds.

Un tableau des aliments — avec leurs composants vitaminés, sels minéraux... qu'il affichera dans sa cuisine pour composer ses chers menus diététiques.

Un ordinateur — ou un réveil audiovisuel pour capter en son et image les actualités du monde, un agenda-machine à calculer-boussole qui donne l'heure de toutes les capitales.

Et tout, tout, tout ce qui touche à l'électronique, même un séjour à Silicone Valley.

LE VERSEAU ET LES AUTRES

BÉLIER
TAUREAU
GÉMEAUX
CANCER
LION
VIERGE
BALANCE
SCORPION
SAGITTAIRE
CAPRICORNE
VERSEAU
POISSONS

Ils s'entendent

un peu _____	1 🍰	1 🥤	1 💐	1 ♡
beaucoup _____	2 🍰	2 🥤	2 💐	2 ♡
merveilleusement	3 🍰	3 🥤	3 💐	3 ♡
pas du tout _____	✗			

GOURMAN-DISE	COPAINS	SOCIAL	CŒUR
🍰 🍰	🥤 🥤	💐 💐	♡
🍰	🥤 🥤	💐	♡ ♡
🍰 🍰	🥤 🥤 🥤	💐 💐 💐	♡ ♡
✗	🥤	💐 💐	♡
🍰	🥤	💐 💐	♡ ♡
🍰 🍰	🥤	💐 💐	♡ ♡
🍰 🍰	🥤 🥤	💐 💐	♡ ♡ ♡
🍰	🥤 🥤	💐 💐	♡ ♡
🍰 🍰	🥤 🥤 🥤	💐 💐 💐	♡ ♡
🍰 🍰	🥤 🥤 🥤	💐 💐 💐	♡ ♡ ♡
🍰 🍰 🍰	🥤 🥤	💐 💐	♡ ♡
🍰 🍰 🍰	🥤 🥤	💐 💐	♡ ♡

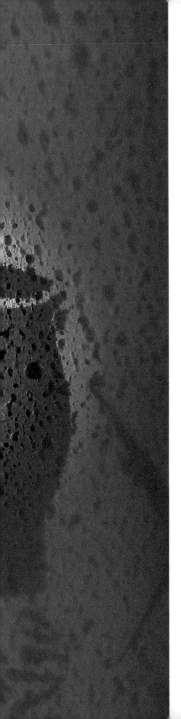

LA GASTRONOMIE

VERSEAU GOURMANDISE D'ICI

La nouvelle cuisine semble n'avoir été créée que pour vous. Vous aimez tout ce qui est original, la simplicité plus ou moins élaborée, les mélanges audacieux, les saveurs nouvelles.

Il vous plaît que ce soit joliment présenté, que sur votre assiette les formes et les couleurs de tous les ingrédients soient artistiquement disposés. Vous êtes sensible à l'aspect diététique de ces recettes avec les cuissons sans matières grasses et les produits « du marché » dont on vous assure la fraîcheur. Mais votre gourmandise, car vous êtes très gourmand bien que vous l'admettiez rarement, est aussi capricieuse que votre caractère. C'est votre esprit plutôt que votre palais qui guide votre choix : êtes-vous d'humeur moderniste, vous irez dans le dernier restaurant à la mode goûter les poissons sur lit d'algues et la glace aux petits pois ; êtes-vous nostalgique de votre enfance, vous vous

gourmandise d'ici

confectionnerez une soupe au lait et aux vermicelles avec un peu de sucre et de cannelle « comme quand j'étais petit » ; et si vous vous trouvez au milieu d'un de vos fréquents accès d'écologie, vous mangerez une escalope végétarienne aux germes de soja accompagnée de spaghettis de carotte — garanties sans engrais. Il se peut enfin que, par amour du terroir, vous commandiez un gigantesque cassoulet au confit de canard ou une daube provençale aux olives, oignons et petits lardons. Quelle que soit votre humeur, il est rare que vous terminiez un repas sans prendre du fromage. Les fromages cuits fruités et bien affinés ont vos préférences : comté tout fissuré, tomme de brebis, vieux cantal de Salers... Il est rare aussi que vous ne goûtiez aux desserts, aux entremets plutôt car vous avez un faible pour les crèmes renversées, les bavarois au chocolat, les œufs en neige... Mais ce que vous préférez à tout ce sont les fruits cuits, compotes, tartes, clafoutis et fruits pochés au citron ou au vin. Les poires pochées dans du sauternes avec une crème anglaise allégée de Chantilly : avouez-le, c'est une de vos spécialités !

Faire la cuisine tous les jours ne vous intéresse guère. Vous sortez volontiers un plat tout préparé du congélateur. Quelques minutes dans le four microondes et vous voilà à table. Enchanté aussi si vous finissez votre dîner par une tartine de pain de seigle avec du miel et des noix.

Lorsque vous vous mettez au fourneau ce doit être vraiment exceptionnel. Vous consultez des livres. Vous compa-

gourmandise d'ici

rez les photos, lisez les recettes, changez d'avis dix fois. Vous faites une liste des ingrédients nécessaires. Vous l'oubliez bien sûr mais rapportez tout de même l'essentiel. Pour le reste, de toute façon, comme vous ne suivez jamais une recette à la lettre, vous trouverez des produits de remplacement. Le résultat sera une réussite et, ce qui est important pour vous, une création !

Les apéritifs, vous ne les appréciez pas tellement, un peu de xérès ou de porto ; parfois, des vins cuits genre Banyuls ou du ratafia bourguignon à la cerise... vous aimez mieux, le plus souvent, boire un verre du vin qui sera servi pendant le repas.

Bien que vous goûtiez fort les grands crus, vous êtes un vrai amateur de petits vins frais qui gardent encore leur goût de terroir. Le tavel, qu'appréciaient Ronsard et Balzac, les sombres vins fruités de l'Aude et de l'Hérault, le quercy plus léger que le cahors, et le saumur rouge au goût de violette... Vous préférez, en digestif, une bonne fine champagne, un vieux calvados, un grand cognac à moins que, suivant vos penchants sucrés, vous n'optiez pour une liqueur ou, plutôt, pour des fruits à l'eau-de-vie, cerises, prunes, mais surtout pruneaux à l'armagnac.

gourmandise d'ici

ESCALOPES MARINES
AU COULIS D'ARTICHAUTS

P_{our 4 Personnes}

- □ 2 filets épais de cabillaud
- □ 4 gambas
- □ 6 artichauts poivrade
- □ 2 cuil. à soupe de crème
- □ 2 oignons
- □ 20 g de beurre
- □ 1 bouquet de cerfeuil
- □ le jus d'un citron
- □ 1 verre de muscadet
- □ sel, poivre du moulin

■ Coupez les filets de cabillaud en deux. Décortiquez les gambas. Coupez les feuilles des artichauts et ôtez le foin. Coupez les cœurs d'artichauts en tranches et arrosez-les du jus de citron ■ Lavez, épongez et hachez le cerfeuil. Pelez et émincez les oignons. Tapissez le fond d'une casserole des oignons et posez par-dessus les tranches d'artichauts. Versez le vin et la même quantité d'eau. Salez, poivrez et cuisez couvert à feu doux 30 mn ■ Mettez les demi-filets sur des papillotes d'aluminium avec un gamba posé dessus ■ Salez, poivrez et humidifiez avec un peu de jus de cuisson des légumes. Refermez les papillotes et cuisez-les 8 mn à la vapeur ■ Pendant ce temps, retirez les légumes de la casserole avec une écumoire. Mixez-les et réchauffez cette purée avec le beurre et la crème. Hors du feu, incorporez le cerfeuil ■ Posez les escalopes recouvertes des gambas sur un plat et nappez-les du coulis.

TERRINÉE DU MOUSSAILLON

gourmandise d'ici

Pour 4 Personnes

- ☐ 1 colin cuit au court-bouillon
- ☐ 250 g de crème
- ☐ 250 g de groseilles à maquereau
- ☐ 2 kiwis
- ☐ 250 g de jambon cuit
- ☐ 50 g d'amandes effilées
- ☐ sel, poivre du moulin

■ Lavez et égrenez les groseilles, épongez-les soigneusement avec du papier absorbant. Pelez les kiwis, coupez-les en rondelles ■ Ôtez la peau et les arêtes du colin, coupez le jambon en petits dés. Salez, poivrez et hachez-les ensemble ■ Fouettez la crème sortant du réfrigérateur jusqu'à ce qu'elle soit bien ferme. Mélangez-la avec les amandes et le hachis avant d'incorporer très délicatement les groseilles ■ Mettez ce mélange dans une terrine et laissez-le au frais 1 h. Décorer le dessus des rondelles de kiwis juste avant de servir ■ Servez accompagné de tranches de pain grillées chaudes.

CHARLOTTE A L'ÉMINCÉ DE CHOU

Pour 4 Personnes

- □ 1 chou vert
- □ 10 belles feuilles de chou de Milan
- □ 2 blancs de poulet cuit
- □ 200 g de talon de jambon cru sans os
- □ 2 pommes reinette
- □ 4 cuil. à soupe de crème
- □ 2 œufs
- □ 1 cuil. à soupe de cary
- □ 1/2 cuil. à café de gingembre en poudre
- □ 20 g de beurre
- □ sel
- □ poivre du moulin

■ Lavez le chou et coupez-le en fines lanières ■ Dans une casserole d'eau bouillante salée contenant le cary, faites-les blanchir 3 mn. Égouttez-les dans une passoire, passez-les sous l'eau froide et épongez-les dans un torchon en pressant bien afin de retirer le maximum d'eau ■ Faites aussi blanchir les feuilles mais sans ajouter de cary ■ Pelez les pommes, coupez-les en fins quartiers ■ Mixez le jambon avec les blancs de poulet et les œufs, ajoutez le gingembre et la crème tout en continuant de mixer puis incorporez en tournant à la cuillère les lanières du chou et les quartiers de pommes. Salez et poivrez si c'est nécessaire ■ Tapissez le fond et les bords d'un moule à charlotte beurré des feuilles de chou ■ Remplissez de la préparation et recouvrez des dernières feuilles de chou ■ Cuisez au bain-marie à four chaud (190°, th. 6) 45 mn ■ Démoulez chaud sur un plat et servez.

gourmandise d'ici

BRAISE DE POULET AUX PAMPLEMOUSSES ET POIVRE ROSE

Pour 4 Personnes

- ☐ 1 poulet en morceaux
- ☐ 3 oignons
- ☐ 250 g de champignons de Paris
- ☐ 2 pamplemousses roses
- ☐ 1 gousse d'ail
- ☐ 1 verre de vin rosé
- ☐ 1 cuil. à soupe de Maïzena
- ☐ 3 cuil. à soupe d'huile
- ☐ 12 baies de poivre rose
- ☐ sel

■ Épluchez les pamplemousses à vif, pelez les quartiers, épépinez-les ■ Épluchez les oignons et l'ail, hachez-les ■ Coupez le bout du pied des champignons, lavez-les et émincez-les ■ Dans une cocotte, chauffez l'huile où vous dorerez le hachis d'oignons et d'ail 5 mn avant d'ajouter les morceaux de poulet puis les champignons émincés et du sel ■ Dès qu'ils auront rendu leur eau, mouillez du vin rosé et laissez cuire couvert à feu doux 30 mn ■ Délayez la Maïzena avec un peu d'eau froide avant de la mélanger à la sauce. Cuisez 5 mn, puis ajoutez dans la cocotte les quartiers de pamplemousse et les baies de poivre rose. Couvrez de nouveau et poursuivez la cuisson 10 mn ■ Servez sans attendre.

gourmandise d'ici

FRICASSÉE DE LAPIN AU VINAIGRE ET POIVRE VERT

Pour 4 Personnes

- □ 1 lapin coupé en morceaux
- □ 3 belles échalotes roses
- □ 2,5 dl de vinaigre de xérès
- □ 1 concombre
- □ 70 g de beurre
- □ 12 grains de poivre vert lyophilisé
- □ sel

■ Concassez grossièrement le poivre vert. Salez les morceaux de lapin et roulez-les dans le poivre ■ Dans une cocotte, chauffez 30 g de beurre, mettez les morceaux de lapin à dorer dans le beurre à feu moyen pour éviter que ce dernier ne se colore ■ Couvrez la cocotte et cuisez à four chaud (210°, th. 7) 20 mn ■ Pendant ce temps, épluchez les échalotes et coupez-les en fines rondelles ■ Retirez les morceaux de lapin de la cocotte et tenez-les au chaud sur un plat dans le four éteint et entrouvert ■ Faites revenir les rondelles d'échalotes à feu moyen 5 mn en les tournant afin d'éviter qu'elles ne se colorent. Versez le vinaigre dans la cocotte en le mélangeant aux échalotes ■ Laissez mijoter découvert à feu doux 15 mn afin de réduire la sauce de moitié puis ajoutez le reste de beurre en fouettant pour l'émulsionner ■ Servez le lapin nappé de cette sauce et accompagné de boules de concombre cuites 10 mn à la vapeur.

gourmandise d'ici

MIGNONS DE PORC AU VIN DE PÊCHES

Pour 4 Personnes

- ☐ 2 filets mignons de porc
- ☐ 2 verres de vin de pêches
- ☐ 18 pruneaux
- ☐ 3 cuil. à soupe de miel
- ☐ 3 cuil. à soupe de crème
- ☐ 4 oignons
- ☐ 3 cuil. à soupe de Maïzena
- ☐ 1 branchette de thym
- ☐ 3 cuil. à soupe d'huile
- ☐ sel, poivre du moulin

■ Pelez les oignons, hachez-les. Coupez les filets mignons en fines tranches. Salez-les et poivrez-les. Mettez-les dans un sac plastique avec la Maïzena et secouez vivement afin de bien les enrober ■ Chauffez l'huile à feu moyen dans une cocotte. Dorez les tranches de filets mignons 2 mn avant de mettre le hachis d'oignons. Laissez dorer 5 mn avant d'ajouter dans la cocotte le vin de pêches, le miel et le thym ■ Couvrez et cuisez 45 mn à feu doux ■ Pendant ce temps, dénoyautez les pruneaux, ajoutez-les dans la cocotte et poursuivez la cuisson 30 mn ■ Mettez les tranches de filets mignons sur un plat chaud. Retirez la branche de thym et déglacez la sauce avec la crème. Salez et poivrez seulement si c'est nécessaire ■ Nappez le dessus du plat de sauce et servez avec un riz blanc.

CÔTES DE VEAU ANAÏS

gourmandise d'ici

Pour 4 Personnes

- □ 2 blancs de poulet cuit
- □ 4 côtes de veau
- □ 4 œufs
- □ 1 verre de lait
- □ 1 bouquet de cerfeuil
- □ 2 oignons
- □ 1 gousse d'ail nouveau
- □ 4 cuil. à soupe de crème
- □ sel, poivre du moulin

■ Hachez les blancs de poulet ■ Lavez et épongez le cerfeuil. Pelez les oignons et l'ail. Hachez-les ensemble ■ Cassez les œufs dans un saladier, battez-les à la fourchette en ajoutant le lait peu à peu puis le hachis de poulet et enfin celui d'herbes et d'oignons. Salez et poivrez ■ Beurrez largement un plat à four pouvant contenir les côtes de veau. Étendez dans le fond du plat la moitié de la farce, posez par-dessus les côtes de veau et recouvrez-les du reste de la préparation ■ Parsemez le dessus de morceaux de beurre. Couvrez le plat d'un couvercle ou d'une feuille d'aluminium ■ Cuisez à four chaud (170°, th. 5) 1 h ■ Servez dans le plat.

SALADE DE TOMATES AUX VAPEURS D'ALCOOL

gourmandise d'ici

Pour 4 Personnes

- ☐ 4 belles tomates
- ☐ 3 oignons nouveaux
- ☐ 1 cuil. à soupe de marc de Bourgogne
- ☐ 1 branche d'estragon
- ☐ 1 bouquet de cerfeuil
- ☐ 2 cuil. à soupe d'huile d'olive
- ☐ 1 bouquet de persil
- ☐ 1/2 cuil. à café de graines de moutarde
- ☐ 1 cuil. à soupe de vinaigre de xérès
- ☐ sel, poivre

■ Lavez, épongez et effeuillez l'estragon. Pelez et épépinez les tomates, coupez-les en tranches et mettez-les à macérer ainsi que les feuilles d'estragon 6 h dans le marc ■ Lavez, épongez et hachez le persil et le cerfeuil ■ Pelez les oignons, coupez-les en fines rondelles ■ Préparez la vinaigrette en mélangeant d'abord le vinaigre avec le sel et le poivre avant d'ajouter l'huile, les graines de moutarde et le hachis d'herbes ■ Versez la vinaigrette dans un saladier où vous ajouterez les tomates, leur macération et les rondelles d'oignons ■ Tournez longuement la salade pour bien la parfumer de marc avant de la servir.

DARIOLES DU CHEF PÂTISSIER

gourmandise d'ici

Pour 4 Personnes

- □ 1 céleri-rave
- □ 1 pot de marmelade de mûres
- □ 1/2 litre de lait
- □ 4 jaunes d'œufs
- □ 200 g de sucre en poudre

■ Pelez le céleri, coupez-le en rondelles. Dans une grande casserole, mettez le lait froid et les rondelles de céleri. Portez à ébullition et laissez cuire couvercle entrouvert 30 mn à feu doux. Égouttez soigneusement le céleri et passez-le à la moulinette ■ Battez les jaunes avec 100 g de sucre jusqu'à ce que le mélange blanchisse avant d'ajouter lentement la purée de céleri en battant sans arrêt puis tamisez la préparation ■ Préparez un caramel avec le reste de sucre et 4 cuil. à soupe d'eau. Dès que le caramel a une belle couleur, répartissez-le dans les moules à darioles en les faisant tournez pour les enduire également ■ Versez la crème de céleri dans ces moules et cuisez au bain-marie à four chaud (170°, th. 5) 30 mn. Laissez-les refroidir avant de démouler ■ Servez-les accompagnés de marmelade de mûres.

gourmandise d'ici

DÉLICE FERMIER AU COULIS DE MYRTILLES

Pour 4 Personnes

- □ 400 g de fromage blanc
- □ 300 g de myrtilles
- □ 125 g de Fjord
- □ 250 g de crème
- □ 200 g de sucre
- □ 50 g de sucre glace

- □ 50 g de pistaches
- □ 4 feuilles de gélatine
- □ le jus de 1/2 citron
- □ 1 cuil. à soupe d'huile d'amandes douces

■ Chauffez le sucre avec 1 dl d'eau et la gélatine. Laissez bouillir 2 mn. Filtrez et laissez tiédir ■ Écrasez grossièrement les pistaches ■ Battez le fromage blanc avec le Fjord avant d'incorporer peu à peu le sirop refroidi et les pistaches hachées ■ Fouettez la crème sortant du réfrigérateur avec un glaçon jusqu'à ce qu'elle double de volume. Incorporez-la au fromage blanc ■ Versez le mélange dans un moule à douille huilé et laissez prendre au frais 2 h ■ Mixez les myrtilles avec le sucre glace et le jus de citron. Filtrez-les ■ Démoulez le gâteau sur un plat et nappez-le du coulis de myrtilles.

VERSEAU GOURMANDISE D'AILLEURS

Citoyens du monde, les Verseau. Comme ils ont la tête dans les étoiles, la planète ne leur semble pas très vaste. Ils voyagent naturellement, curieux de tout, sans jamais sentir le dépaysement.

Tous les hommes sont de leur famille. Ils lisent beaucoup mais rarement des récits de voyages : les descriptions de paysages et les aventures qui sont arrivées aux autres ne les intéressent pas. Leurs livres décrivent la vie quotidienne de leurs cousins d'Asie ou d'Amérique, les chefs-d'œuvre des artistes, les découvertes des scientifiques...

Épris de progrès et de modernité, ils sont attirés par les États-Unis. Il y a une forte proportion de natifs du Verseau dans ce pays. Est-ce un hasard si le président Ronald Reagan en est un

gourmandise d'ailleurs

lui-même ? Des grands lacs à Silicone Valley, ils voudraient tout voir sans oublier, pour la nostalgie, un détour à la Nouvelle-Orléans et une pointe au Far-West.

Près de Washington, ils seraient ravis de déguster, dans un petit restaurant au bord du Potomac, un homard frais pêché et de grandes huîtres grillées au barbecue, en buvant un tokay made in USA qui vaut bien des vins européens. En Virginie, ils découvriraient le merveilleux jambon fumé au feu de bois qui a une saveur très particulière parce que les porcs sont nourris de cacahuètes, les hush puppies, beignets croquants à la farine de maïs, le ragoût de poulet piquant dans lequel les esclaves ajoutaient de l'écureuil et tous les plats avec des cornilles, ces fins haricots blancs qui ont une petite tache noire et sont si bons.

Quant au poulet frit, grande spécialité de la gastronomie du Sud, si les Verseau toujours curieux en demandent la recette dans une réunion, ils risquent de déclencher des disputes : chaque famille à la sienne, comme à New York pour le gâteau au fromage blanc, au Texas pour le chili, en Californie pour le crabe royal Dungeness qui contient six fois plus de chair que ses cousins des autres mers...

L'autre cuisine étrangère que les Verseau apprécient beaucoup et qu'ils font même souvent chez eux, c'est la cuisine chinoise et ses variantes vietnamiennes et thaïlandaises. Ils aiment tout ce qui est à base de riz, les cuissons à la vapeur ou à l'étouffée, les légumes encore croquants, les mélanges savants d'épices.

gourmandise d'ailleurs

Ils réussissent peut-être les « œufs tru-
qués » chinois dans lesquels on perce
un petit trou pour aspirer le blanc, puis
le jaune, qu'on farcit de viande hachée
sautée avec des oignons, du gingembre
et du vin jaune dans lesquels on remet
le blanc d'œuf. Et, une fois le trou
refermé, on les met à cuire avec le riz
pour surprendre les invités qui croient
à de simples œufs durs. Ils aiment les
desserts à la rose, les beignets de pétales
de magnolias, le riz aux huit choses
précieuses, et les pâtes au lait de coco
qu'on sert de façon charmante à Bang-
kok enveloppées dans des feuilles de
bananier fermées avec un petit bâton.
Dans ces mêmes feuilles, les Thaï font
cuire à la vapeur du poisson au curry,
du bœuf à la citronnelle ou du porc
mariné ; chez nous, les parties vertes
des grands poireaux peuvent les remplacer.
La spécialité thaï qui plaît à tous les
Verseau, — et aux autres signes — est
le fameux *kaï op saparot.* C'est un
poulet coupé cuit avec des oignons
hachés, du gingembre et des morceaux
d'ananas. On le met dans l'ananas évidé
et chauffé. C'est parfumé, délicieux et
léger.

VERSEAU

gourmandise d'ailleurs

Pour 4 Personnes

- □ 1 bouquet d'oseille
- □ 3 oignons
- □ 30 g de farine
- □ 4 cuil. à soupe de crème
- □ le jus d'un citron
- □ 2 morceaux de sucre
- □ 50 g de saindoux
- □ sel, poivre

■ Équeutez, lavez et épongez l'oseille. Pelez les oignons, coupez-les en fines rondelles ■ Dans une grande casserole, chauffez le saindoux et mettez-y les oignons à rissoler 10 mn en les tournant pour éviter qu'ils ne brûlent puis ajoutez l'oseille. Salez, poivrez et baissez le feu. Couvrez la casserole et cuisez à feu doux 20 mn ■ Ajoutez la farine en la tournant vivement afin d'éviter qu'elle ne fasse des grumeaux. Versez par-dessus 1 litre d'eau chaude et poursuivez la cuisson 15 mn. En fin de cuisson, ajoutez le jus de citron et le sucre ■ Passez la soupe à la moulinette. Reversez-la dans la casserole et réchauffez-la avec la crème en veillant à ne pas atteindre l'ébullition ■ Versez dans une soupière chaude et servez-la accompagnée de cubes de pain frits.

gourmandise d'ailleurs

NEM AUX CREVETTES

Pour 4 Personnes

- □ 250 g de grosses crevettes cuites
- □ 150 g de filet mignon de porc
- □ 50 g de champignons chinois séchés
- □ 75 g de vermicelles chinois
- □ 2 jaunes d'œufs
- □ 1 cuil. à soupe de coriandre hachée
- □ 1 cuil. à soupe de sucre en poudre
- □ 1 petite carotte
- □ 8 galettes de riz
- □ sauce nuoc mam
- □ huile de friture

■ Décortiquez les crevettes, émincez le porc en très fines tranches ■ Découpez les champignons en lanières, plongez-les dans l'eau bouillante et laissez-les gonfler 30 mn. Égouttez-les ■ Mettez les vermicelles dans une passoire, lavez-les sous l'eau courante et égouttez-les. Mélangez tous ces ingrédients en y ajoutant les jaunes d'œufs, 1/2 cuil. à café de sauce nuoc mam et la coriandre ■ Mouillez un torchon, essorez-le pour retirer l'excédent d'eau et pliez-le en quatre ■ Posez une galette de riz par-dessus et humidifiez-la avec un coton mouillé pour la ramollir ■ Disposez un peu de farce en long à un bout de la galette et roulez-la. Procédez de même avec toutes les galettes. Laissez reposer les nem 1 h ■ Pelez et râpez finement la carotte, mettez-la dans un bol avec 3 cuil. à soupe de nuoc mam délayée dans la même quantité d'eau et le sucre ■ Cuisez les nem 5 mn à friture chaude. Égouttez-les ■ Servez-les avec la sauce où vous les tremperez.

gourmandise d'ailleurs

DAUBE DE LA RIVIÈRE DU REMPART

P_{our} 4 Personnes

- □ 800 g de raie
- □ 2 aubergines
- □ 2 tomates
- □ 2 oignons
- □ 1 morceau de gingembre frais
- □ 1 gousse d'ail
- □ 1 bouquet de coriandre
- □ 1/2 verre d'huile d'arachide
- □ sel

■ Lavez, épongez et hachez la coriandre. Coupez la raie en dés. Épluchez et râpez le gingembre ■ Pelez l'ail, hachez-le et mélangez-le au gingembre. Pelez les oignons, émincez-les. Pelez et épépinez les tomates. Hachez-les grossièrement. Coupez les aubergines en rondelles ■ Dans une cocotte, chauffez l'huile, dorez-y les oignons ainsi que le hachis d'ail et le gingembre pendant 5 mn avant d'ajouter les tomates, les aubergines et du sel. Cuisez couvert à feu doux 30 mn, mettez la raie et poursuivez la cuisson 15 mn ■ Servez la daube sur un plat chaud, saupoudrez de la coriandre et accompagnez d'un riz blanc.

VERSEAU

gourmandise d'ailleurs

Pour 4 Personnes

☐ 1 brochet de 1,5 kg
☐ 3 œufs
☐ 1 oignon
☐ 6 clous de girofle
☐ 1 feuille de laurier

☐ 2 fortes pincées de muscade râpée
☐ 1 bouquet d'aneth
☐ 200 g de beurre
☐ sel, poivre du moulin

■ Cuisez les œufs 10 mn à l'eau bouillante salée. Passez-les sous l'eau froide, écalez-les et hachez-les en les passant au travers d'un tamis de fer ■ Pelez l'oignon, piquez-le des clous de girofle. Saupoudrez le brochet de sel fin et laissez-le ainsi 15 mn ■ Pendant ce temps, chauffez un litre et demi d'eau avec l'oignon piqué des clous de girofle, la muscade, la feuille de laurier, la moitié du bouquet d'aneth, quelques grains de poivre et du sel. Au premier frémissement de l'eau, baissez le feu et mettez le brochet à pocher 30 mn dans ce court-bouillon ■ Lavez, épongez et hachez le reste de l'aneth ■ Mettez une casserole dans un bain-marie posé sur feu doux et ajoutez-y le beurre par petits morceaux sans cesser de fouetter. Lorsqu'il sera fondu, incorporez-lui le hachis d'aneth, d'œufs et un peu de sel. Versez dans une saucière chaude ■ Servez le brochet sans la peau accompagné de la sauce.

gourmandise d'ailleurs

POULET DU HARAR

Pour 4 Personnes

- □ 1 poulet
- □ 4 œufs
- □ 2 grosses bottes d'échalotes fraîches
- □ 2 clous de girofle
- □ 1 morceau de gingembre frais
- □ 1 piment fort frais
- □ 1/2 cuil. à café de graines de moutarde
- □ 1 cuil. à café de coriandre en poudre
- □ 40 g de beurre
- □ sel, poivre du moulin

■ Pelez et râpez le gingembre, pelez et émincez les échalotes. Coupez le poulet en morceaux ■ Dans une cocotte, faites fondre le beurre à feu doux afin d'y faire dorer 5 mn les morceaux de poulet. Retirez-les de la cocotte et tenez-les au chaud ■ Mettez dans la cocotte les échalotes et faites-les blondir tout doucement 15 mn en les tournant souvent ■ Remettez les morceaux de poulet et ajoutez les graines de moutarde, le gingembre, la coriandre, les clous de girofle et le piment (entier, pour éviter de rendre la sauce trop piquante). Salez, poivrez et couvrez d'eau chaude à la hauteur du poulet ■ Cuisez couvert 45 mn à feu doux ■ Cuisez les œufs 10 mn à l'eau bouillante salée. Passez-les sous l'eau froide, écalez-les et coupez-les en quatre ■ Servez les morceaux de poulet et la sauce, dans un plat légèrement creux, entourés des quartiers d'œufs et accompagné d'un riz blanc.

CANARD FARCI À LA KACHA

gourmandise d'ailleurs

Pour 4 Personnes

- □ 1 canard de 1,5 kg
- □ 125 g de kacha
  (épicerie russe)
- □ 2 oignons
- □ 100 g de beurre
- □ sel, poivre

 Mettez 1/4 de litre d'eau dans une cocotte, ajoutez la kacha dès l'ébullition ainsi que 25 g de beurre, salez, poivrez et cuisez couvert à feu très doux 20 mn. Laissez refoidir ■ Pelez les oignons, émincez-les et faites-les doucement blondir à la poêle 10 mn dans 25 g de beurre fondu. Laissez-les refroidir ■ Essuyez l'intérieur du canard avec du papier absorbant ■ Mélangez la kacha avec les oignons et le reste du beurre ramolli et coupé en petits morceaux. Remplissez le canard de cette farce et cousez soigneusement les ouvertures ■ Posez-le sur une grille pour éviter qu'il ne baigne dans son jus pendant la cuisson ■ Cuisez-le à four chaud (190°, th. 6) 1 h en l'arrosant régulièrement de son jus.

gourmandise d'ailleurs

CÔTELETTES POJARSKI

Pour 4 Personnes

- ☐ 300 g de blancs de dinde
- ☐ 300 g d'épaule de veau
- ☐ 2 œufs
- ☐ 60 g de farine
- ☐ 60 g de mie de pain bien rassise
- ☐ 1 cuil. à soupe de crème aigrie avec quelques gouttes de citron
- ☐ 1 forte pincée de muscade râpée
- ☐ 100 g de beurre
- ☐ sel, poivre

■ Écrasez finement la mie de pain au rouleau à pâtisserie ou, mieux, mixez-la ■ Hachez la dinde et le veau. Mettez-les dans un saladier ainsi que la crème, la muscade, du sel et du poivre. Mélangez soigneusement tous ces ingrédients et faites-en quatre côtelettes bien aplaties ■ Passez-les successivement dans la farine, dans l'œuf battu et dans la mie de pain ■ Faites fondre le beurre à feu moyen dans une sauteuse avant d'y cuire les côtelettes 10 mn en les retournant à mi-cuisson ■ Égouttez-les sur du papier absorbant et servez-les bien chaudes ■ Vous pouvez les accompagner d'un bol de crème aigre bouillante.

gourmandise d'ailleurs

CHAUDRON A LA HONGROISE

Pour 4 Personnes

- □ 1 kg de bœuf dans la macreuse
- □ 600 g de pommes de terre
- □ 4 oignons
- □ 1 belle tomate
- □ 2 poivrons verts
- □ 2 cuil. à soupe de paprika
- □ 80 g de saindoux
- □ sel

■ Pelez et hachez les oignons, coupez la macreuse en gros dés ■ Dans une cocotte, faites fondre le saindoux à feu moyen, ajoutez le hachis d'oignons et laissez-le dorer 5 mn en le tournant avant d'ajouter le paprika, puis les dés de macreuse. Salez, ajoutez un bon verre d'eau chaude et laissez cuire doucement couvert pendant 2 h ■ Pendant ce temps, ôtez la queue, les graines et les filaments des poivrons, pelez les pommes de terre. Coupez ces deux légumes en dés. Pelez et épépinez la tomate, hachez-la grossièrement ■ Disposez les pommes de terre dans la cocotte par-dessus les dés de viande, puis les dés de poivrons par-dessus les pommes de terre et mettez le hachis de tomate en dernier. Couvrez d'eau chaude sans bouger les légumes et poursuivez la cuisson à couvert 1 h 30.

DOUCEUR DE LA MECQUE

gourmandise d'ailleurs

Pour 4 Personnes

- □ 250 g de couscous
- □ 100 g d'amandes
- □ 250 g de figues sèches
- □ 10 cuil. à soupe de miel liquide
- □ 250 g de dattes
- □ 1 litre de lait fermenté
- □ 50 g de sucre
- □ 1/2 cuil. à café de cannelle

■ Mouillez la graine de couscous avec 1/2 dl d'eau froide. Aérez-la bien en roulant les grains entre la paume et les doigts ■ Laissez gonfler 15 mn et recommencez à l'aérer en y incorporant les amandes ■ Mettez la graine dans la partie haute d'un couscoussier, versez dans la partie basse 1 litre d'eau où vous aurez délayé 3 cuil. à soupe de miel ■ Dès que la vapeur apparaîtra au-dessus de la graine, mettez-la dans un plat et aérez-la de nouveau en y incorporant la valeur de 1/3 d'un verre d'eau bouillante où vous aurez délayé 3 cuil. à soupe de miel ■ Remettez la graine dans le couscoussier et cuisez-la 20 mn après le passage de la vapeur ■ Pendant ce temps, battez le lait fermenté avec la cannelle, le sucre et le reste du miel. Mettez-le au frais ■ Dénoyautez les dattes, coupez-les en deux. Coupez les figues en quatre ■ Mettez la graine dans un grand bol, aérez-la une dernière fois en y incorporant les dattes et les figues ■ Servez chaud accompagné du lait parfumé bien frais.

gourmandise d'ailleurs

CROISSANTS MAGYAR AUX NOIX

Pour 4 Personnes

- □ 300 g de farine
- □ 2 œufs
- □ 100 g de sucre en poudre
- □ 50 g de cerneaux de noix
- □ 20 g de levure de boulanger
- □ 1 verre de lait
- □ 100 g de beurre ramolli
- □ 40 g de saindoux ramolli
- □ 1 cuil. à café de cannelle en poudre
- □ 1 cuil. à café de macis en poudre
- □ 1 pincée de sel

■ Délayez la levure dans 3 cuil. à soupe de lait chaud ■ Mettez la farine dans un saladier, ajoutez par-dessus la levure, le sel, le beurre et le saindoux coupés en petits morceaux ■ Pétrissez tous ces ingrédients afin d'obtenir une pâte un peu ferme — si c'est nécessaire ajoutez un peu de lait. Roulez la pâte en boule et laissez-la reposer 1 h ■ Mixez les cerneaux de noix en poudre grossière. Cassez les œufs en séparant les blancs des jaunes. Battez très légèrement les blancs à la fourchette avant d'incorporer la poudre de noix, le sucre, la cannelle et le macis ■ Étalez la pâte au rouleau sur un plan de travail fariné et coupez-la en petits triangles. Mettez sur chacun 1 cuil. à soupe de mélange aux noix. Roulez les triangles de manière à former les croissants. Dorez-les au jaune d'œuf et laissez-les lever 1 h avant de les dorer de nouveau à l'œuf ■ Cuisez à four chaud (190°, th. 6) 10 à 12 mn ■ Laissez refroidir avant de servir.

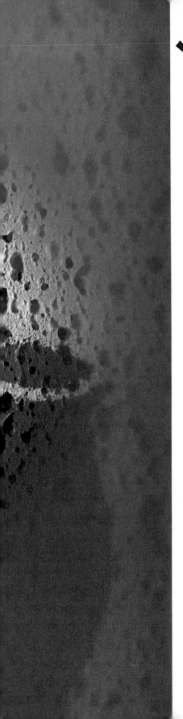

LA SANTÉ

VERSEAU
FORME

Vous avez généralement une bonne
santé mais vous en faites trop. Vous
vivez sur les nerfs mais parfois ils
craquent. Vous avez un grand besoin de
sommeil, de silence, de solitude.

Si vous ne réussissez pas à trouver
dans votre emploi du temps ces moments de repos complet pour vous remettre en forme, ne soyez pas surpris si,
un jour ou l'autre, étant au bout de vos
réserves, vous frôlez la dépression.
Vous qui êtes si sensibles aux forces
cosmiques, qui réagissez aux orages,
qui sentez le magnétisme des autres,
soyez à l'écoute de votre corps, suivez
son rythme.

Le zodiaque attribue à chaque signe
une partie du corps. Au Verseau, cor-
respondent les mollets et les chevilles
qui sont donc vos points faibles avec

forme

des risques d'entorses, de fractures, de gonflements... Il faudra faire attention à la circulation du sang et à l'état des veines en général.

Vous avez besoin de sodium — pour la fluidité du sang — vous utiliserez donc du sel marin et mangerez cresson, fraises, sucre et framboises. Vous avez besoin de silicium qui protège les artères contre l'artériosclérose, vous en trouverez dans l'enveloppe des céréales (dans le pain complet par exemple), l'ail, l'échalote et dans la peau des pommes et des poires.

Toujours pour vos artères, vous prendrez du thé plutôt que du café au petit déjeuner. Le thé du Yunnan surtout est hypolipidémique — ce qui signifie qu'il y a une action sur les mauvaises graisses du sang comme le cholestérol. Le poisson et les protéines végétales vous réussissent mieux que la viande. Consommez beaucoup les produits de la mer, ils vous apportent aussi de l'iode qui aide à lutter contre le vieillissement. Faites des salades de germes de soja, grande source de protéines, et n'oubliez pas les champignons qui, sur ce point, peuvent remplacer un bifteck d'où leur surnom de « viande végétale ». Ils contiennent aussi du phosphore qui donne de l'énergie. Vous en trouverez également dans les artichauts, les aubergines, les lentilles, les amandes et les oignons. Assaisonnez vos salades de ciboulette qui fait baisser la tension artérielle et contient beaucoup de vitamine C — avec du persil, du jus de citron et un filet d'huile de noix, c'est une sauce qui donne un véritable coup de fouet.

N'oubliez pas que vous avez aussi besoin de fer qui est un composant essentiel des globules rouges. Mangez des œufs, des fruits et des légumes secs, des céréales et surtout du foie. Le foie de bœuf champion ferreux toutes catégories en contient 18 mg au 100 g. Mais sachez que les épinards, qui ont d'autres qualités, ont, en ce domaine, une réputation totalement surfaite !

Pour votre circulation, il est indispensable que vous preniez de l'exercice en plein air afin de vous recharger en oxygène. Le ski est bon pour vous, mais faites attention à vos chevilles. Nagez, c'est excellent mais méfiez-vous de l'eau trop froide qui peut provoquer des ennuis au niveau des articulations de vos jambes. Évitez pour les mêmes raisons le jogging qui fatigue les chevilles. Marchez de préférence tous les jours régulièrement, en respirant à fond. Jamais vous ne marcherez trop pour être en forme !

forme

POTAGE TREMPLIN

Pour 4 Personnes

- □ 250 g de pois cassés
- □ 2 gros os de bœuf
- □ 1 bouquet garni
- □ 1 carotte
- □ 2 oignons
- □ 20 g de beurre
- □ 6 feuilles de menthe
- □ sel, poivre

■ Faites tremper les pois cassés dans de l'eau froide pendant 2 h ■ Mettez dans une casserole les os de bœuf, le bouquet garni, la carotte, les oignons coupés en quatre et les pois cassés égouttés. Salez. Versez 1 litre 1/2 d'eau froide. Couvrez, cuisez à feu moyen pendant 1 h jusqu'à ce que les pois cassés soient bien tendres ■ Enlevez l'os et le bouquet garni. Mixez le reste. Mélangez-y le beurre coupé en petits morceaux. Poivrez. Versez dans une soupière. Parsemez des feuilles de menthe ciselées.

forme

CORNETS SPARTAK

Pour 4 Personnes

- □ 8 minces tranches de saumon cru
- □ 2 œufs
- □ 4 citrons verts
- □ 2 cuil. à soupe de raifort
- □ 1 bouquet d'aneth
- □ 10 cuil. à soupe de crème fraîche
- □ 1 cuil. à soupe de paprika
- □ sel, poivre

■ Posez les tranches de saumon sur un plat. Pressez les citrons, versez le jus sur les tranches de saumon que vous laisserez macérer 6 h au frais ■ Cuisez les œufs 10 mn à l'eau bouillante salée, passez-les sous l'eau froide, écalez-les avant de les passer à la moulinette à grille fine ■ Lavez et épongez l'aneth, hachez-le et mélangez-le avec le raifort, le paprika et la crème. Salez et poivrez ce mélange ■ Retirez les tranches de saumon de leur macération, essuyez-les et coupez-les en deux ■ Roulez-les en petits cornets que vous remplissez de crème ■ Posez-les sur un plat et parsemez-les des râpures d'œufs ■ Servez bien frais.

CÔTES DU JUDOKA

forme

Pour 4 Personnes

- ☐ 4 côtes de porc
- ☐ 1 orange
- ☐ 1/2 citron
- ☐ 1 gousse d'ail
- ☐ 2 cuil. à soupe de sauce de soja
- ☐ 50 g de beurre
- ☐ 1 pincée de marjolaine
- ☐ 1 boîte de maïs en grains
- ☐ 4 cuil. à soupe d'huile
- ☐ sel, poivre

■ Salez et poivrez les côtes de porc. Pelez et hachez la gousse d'ail. Pressez le jus de l'orange et du demi-citron. Mélangez-le à la sauce de soja. Ajoutez 2 cuil. d'huile. Versez sur les côtes de porc. Saupoudrez d'ail et de marjolaine. Tournez la viande dans ce mélange. Laissez macérer 1 heure au moins ■ Chauffez 25 g de beurre et 2 cuil. d'huile dans une poêle. Égouttez les côtes de porc. Mettez-les à dorer dans la poêle 2 mn de chaque côté. Couvrez. Poursuivez la cuisson 20 mn en tournant la viande après 10 mn ■ Chauffez le maïs dans son jus sur feu doux. Égouttez-le et servez-le avec les côtes de porc.

STEAKS DU GYMNASE

Pour 4 Personnes

- □ 500 g de steak haché
- □ 4 cuil. à soupe de corn-flakes
- □ 2 cuil. à soupe de lait
- □ 1 gros oignon
- □ 1 orange
- □ 3 endives
- □ 20 g de farine
- □ 10 brins de persil
- □ 1 cuil. à café de moutarde
- □ 1 cuil. à soupe d'huile
- □ 25 g de beurre
- □ sel
- □ paprika

■ Hachez l'oignon très finement ou mieux râpez-le. Mettez-le dans un saladier, ajoutez les corn-flakes, la moutarde, le persil haché, une pincée de paprika et du sel. Écrasez le tout et mélangez avec une fourchette ■ Ajoutez le steak haché et mélangez bien ■ Farinez vos mains et formez 4 boulettes aplaties en tassant bien la viande. Posez-les sur un papier d'aluminium huilé et faites-les cuire 10 mn sous le gril en les tournant à mi-cuisson ■ Pendant ce temps, coupez les endives en rondelles. Faites-les sauter 3 mn dans une poêle avec le beurre à feu moyen. Ajoutez une pincée de sel et le jus de l'orange. Cuisez encore 5 mn et servez avec les steaks grillés.

forme

LAPIN AUX NOISETTES

Pour 4 Personnes

- ☐ 1 petit lapin entier
- ☐ 1 petit verre à liqueur de cognac
- ☐ 75 g de noisettes hachées
- ☐ 2 échalotes hachées
- ☐ 2 petits-suisses
- ☐ 2 cuil. à café de moutarde
- ☐ 3 cuil. à soupe d'huile d'arachide
- ☐ 1 grosse boîte de salsifis
- ☐ sel, poivre du moulin

■ Mélangez dans un bol les petits-suisses, les noisettes, les échalotes et la moutarde ■ Farcissez le lapin avec ce mélange, cousez-le et posez-le dans une cocotte allant au four ■ Dans une petite casserole, chauffez le cognac ; dès qu'il bout, faites-le flamber avec une allumette ■ Arrosez le lapin avec l'alcool bouillant afin qu'il pénètre sa chair ■ Mettez l'huile dans la cocotte à feu vif ; faites revenir le lapin. Couvrez et faites cuire dans le four (th. 7) 40 mn ■ Réchauffez les salsifis et disposez-les sur un plat autour du lapin arrosé avec son jus de cuisson.

POIREAUX MAJOR

Pour 4 Personnes

- ☐ 8 poireaux
- ☐ 8 tranches fines de gruyère
- ☐ 8 tranches fines de jambon cuit
- ☐ 1 tasse de lait

- ☐ 1 cuil. à soupe de farine
- ☐ 2 cuil. à soupe de crème
- ☐ 20 g de beurre
- ☐ sel, muscade

■ Épluchez et coupez les poireaux en ne gardant que 1 cm de vert (le reste servira dans un potage) ■ Cuisez-les 10 mn à l'eau bouillante salée. Égouttez-les ■ Mettez la farine dans une petite casserole, mélangez-y petit à petit le lait. Chauffez en tournant, laissez bouillir 2 mn. Hors du feu, ajoutez du sel, une pincée de muscade et la crème ■ Enroulez chaque poireau dans une tranche de gruyère puis dans une tranche de jambon. Déposez-les dans un plat à four beurré. Versez la sauce à la crème au milieu sur le jambon et passez dans le four chaud (th. 7) pendant 15 mn. Servez chaud.

RIZ CHALLENGER

forme

Pour 4 Personnes

- □ 250 g de riz
- □ 100 g de bacon
- □ 100 g de langue écarlate
- □ 30 g de margarine au tournesol
- □ 3 oignons moyens
- □ 50 g de gruyère râpé
- □ 2 cuil. à soupe de crème
- □ 1/2 litre de bière
- □ sel, poivre

■ Hachez les oignons. Chauffez la margarine dans une casserole à fond épais. Tournez-y les oignons, ajoutez le riz et mélangez bien pour l'imprégner de gras. Versez la bière toujours en tournant. Salez légèrement, poivrez et couvrez la casserole. Laissez cuire à feu doux pendant 20 mn ■ Coupez en petits dés le bacon et la langue écarlate, ajoutez-les sur le riz 5 mn avant la fin de la cuisson ■ Ajoutez la crème, tournez délicatement et mélangez le gruyère râpé. Servez sans attendre.

forme

SALADE LONGCHAMP

Pour 4 Personnes

- ☐ 1 cœur de batavia rouge
- ☐ 1 cœur de laitue
- ☐ 1 salade feuille de chêne
- ☐ 1/2 betterave cuite
- ☐ 1 pomme de terre cuite dans sa peau
- ☐ 1 blanc de poireau cru
- ☐ 1 pomme
- ☐ 1 cuil. à soupe de raisins secs
- ☐ 10 noisettes
- ☐ 1 cuil. à soupe de fines herbes hachées
- ☐ 4 cuil. à soupe d'huile de noix
- ☐ 2 cuil. à soupe de xérès
- ☐ sel
- ☐ poivre du moulin

■ Pelez la pomme de terre, écrasez-la à la fourchette. Lavez et essorez les salades. Fendez les feuilles par le milieu. Pelez la betterave, râpez-la. Émincez finement le blanc de poireau. Hachez grossièrement les noisettes ■ Pelez la pomme, ôtez le cœur et les pépins et coupez-la en petits dés ■ Dans un bol, mélangez le vinaigre avec du sel et du poivre avant d'y ajouter l'huile, puis la pomme de terre écrasée et les fines herbes ■ Mettez cette sauce dans le fond d'un saladier, ajoutez par dessus les salades, la betterave râpée, le blanc de poireau émincé, les dés de pomme, les raisins secs et les noisettes hachées ■ Juste avant de servir, mélangez longuement tous ces ingrédients.

TEURGOULE

forme

Pour 4 Personnes

- □ 150 g de riz
- □ 120 de sucre cristallisé
- □ 2 l. de lait cru
- □ 1/2 cuil. à café de cannelle
- □ 1 boîte d'abricots au sirop

■ Faites chauffer le lait. Lavez le riz en le mettant dans une passoire avec un filet d'eau froide ■ Mettez-le dans une terrine. Versez dessus 2 litres de lait bouillant puis le sucre et la cannelle. Ne mélangez pas ■ Portez la terrine dans le four très doux (th. 2) et laissez cuire pendant 4 h sans couvrir la terrine et sans jamais mélanger ■ Servez tiède avec les abricots glacés.

forme

GLACE AU MIEL

Pour 4 Personnes

- □ 1/4 de l. de lait cru
- □ 125 g de miel
- □ 150 g de crème
- □ 2 jaunes d'œufs
- □ 1/2 citron
- □ 250 g de fraises ou de framboises fraîches ou surgelées
- □ 100 g de sucre glace

■ Mélangez le lait et le miel dans une casserole. Chauffez jusqu'à l'ébullition ■ Fouettez la crème avec les jaunes d'œufs dans une terrine. Versez dessus le lait bouillant. Continuez à fouetter encore 5 mn. Filtrez et faites prendre en glace au freezer ■ Passez les fruits aux mixer avec le sucre glace et un filet de citron ■ Pour servir, partagez la glace au miel dans des coupes, arrosez du coulis de fruits rouges.

VERSEAU MINCEUR

Mincir, pour vous, pose non pas un mais une multitude de problèmes. Vous n'avez d'abord aucun goût pour la discipline.

Avec votre fameux esprit de contradiction, il suffit qu'on vous interdise de manger des nèfles en décembre pour que vous vous donniez un mal fou pour en trouver afin d'en absorber vite un kilo alors que vous n'aimez pas ça. « C'est exagéré », dites-vous. A peine, et vous le savez bien. Votre maman aussi qui quand vous étiez enfant arrivait à force d'interdits à vous faire faire tout ce qu'elle voulait !

Après le manque de discipline, problème numéro un, il y a aussi votre foi dans la science et dans le progrès qui fait de vous la proie facile des instituts où l'on vous fait chaque année « le » traitement révolutionnaire qui doit vous faire perdre 6 kilos en un mois !

minceur

Vous pensez que c'est bête un régime, qu'il doit y avoir un truc plus intelligent. Alors vous achetez un bracelet miracle qui ne réussit qu'à vous noircir le bras ou une machine pour pédaler allongé qui coûte une fortune et tient une place folle jusqu'à ce que vous décidiez que vous pouvez pédaler sans machine et en faire cadeau à une amie...

Vous pensez que l'intelligence peut tout et donc que l'esprit doit aussi faire fondre la graisse sur les hanches, « on a bien envoyé des hommes dans la Lune ! »
Ce genre de raisonnement, en plus de votre nature contemplative, fait que vous restez souvent « enveloppé ». Vous affectez du reste de l'indulgence pour votre « enveloppe charnelle ». Mais, avouez-le, vous êtes très sensible à l'apparence des autres, à la votre aussi par conséquent. Et ne prétendez pas que vous n'êtes attiré que par un beau regard et un gentil sourire. Personne n'est dupe !

Pour vous obliger à passer à l'action, si vraiment vous avez des kilos en trop, il faut que les autres vous aident. Ils doivent vous le faire voir. C'est peut-être cruel mais c'est le seul moyen efficace avec vous. Comment procéder ? L'idéal serait de vous filmer — vous qui aimez tant le cinéma — de vous montrer le petit pneu qui deviendra gros au-dessus de la ceinture du pantalon, la peau d'orange après le short ou le cou qui épaissit... Faute de films, quelques photos, prises « par hasard », feront l'affaire — que vous

minceur

déchirerez après un seul regard.
Sans ce choc visuel, vous continuerez —
les rares fois où vous vous regarderez
dans la glace — à sourire et vous avez
un joli sourire...

Comme régime alimentaire, si vous
avez la patience de le suivre, « le tout
pâtes » devrait vous convenir. De
grands sportifs l'ont adopté comme
Navratilova ou Mac Enroe, ce n'est
donc pas fatigant. Il ne nécessite pas de
grandes préparations culinaires ni de
pesées savantes et il ne vous obligera
pas à passer plus de temps qu'à l'ordi-
naire dans votre cuisine.
Le principe de ce régime est simple :
Par jour, vous pouvez consommer 250 g
de pâtes (de préférence, à base de farine
complète) avec une tasse de sauce aux
légumes et une cuillerée à soupe de
fromage râpé. Vous pouvez aussi manger 200 g de légumes secs, 200 g de
fromage blanc à 0 %, 100 g de volaille
ou de poisson, 200 g de fruits, 200 g de
légumes, 50 g de pain complet et
2 blancs d'œufs.
Sont interdits totalement tous les su-
cres, alcools, vins et sodas, les viandes
et charcuteries, le beurre, l'huile, le
jaune d'œuf et le lait.
La 3e semaine, vous avez droit à un
steak (un seul dans la semaine) et vous
doublerez la ration de pain.
La 4e semaine, ajoutez une escalope de
veau, un verre de vin par jour et une
cuillerée à soupe d'huile.
En un mois, ce régime fait perdre de 3
à 6 kilos et donne de l'énergie. Pour une
efficacité durable, on ne doit reprendre
que progressivement une alimentation
normale.

CRUSTORSADES

minceur

Pour 4 Personnes

- ☐ 16 langoustines
- ☐ 200 g de torsades
- ☐ 1 aubergine
- ☐ 2 tomates
- ☐ 1 oignon
- ☐ 20 g de pignons
- ☐ 1/2 verre de vinaigre
- ☐ 1 cuil. à soupe d'huile d'olive
- ☐ sel, poivre du moulin

■ Épluchez les langoustines en gardant la moitié des carapaces, coupez les queues en petits tronçons ■ Pelez l'aubergine, coupez-la en dés. Pelez et épépinez les tomates. Pelez et hachez l'oignon ■ Dans une cocotte, faites fondre à feu moyen les tomates avec 3 cuil. à soupe d'eau avant d'ajouter le hachis d'oignon, les dés d'aubergine, le vinaigre, du sel et du poivre. Couvrez la cocotte et cuisez à four doux 1 h afin que les légumes se mettent en purée et que la sauce soit courte ; ajoutez les langoustines à la sauce et laissez la cocotte sur le coin du feu ■ Cuisez les torsades 15 mn à l'eau bouillante salée. Égouttez-les ■ Pendant ce temps, mixez en crème les carapaces avec l'huile. Mettez cette crème dans un saladier, ajoutez les torsades et la sauce ■ Mélangez le tout en incorporant peu à peu les pignons. Servez bien chaud.

minceur

SPAGHETTIS DES MOULIÈRES

Pour 4 Personnes

- ☐ 2 litres de moules
- ☐ 200 de spaghettis
- ☐ 1 bouquet de cerfeuil
- ☐ 1 oignon piqué d'un clou de girofle
- ☐ 1 bouquet garni
- ☐ 25 g de parmesan
- ☐ 1 cuil. à soupe d'huile d'olive
- ☐ sel, poivre du moulin

■ Lavez, épongez et hachez le cerfeuil. Grattez et lavez les moules ■ Dans une cocotte contenant 4 cuil. à soupe d'eau, ajoutez l'oignon, le bouquet garni et les moules. Couvrez, cuisez-les à feu vif en les remuant jusqu'à ce que toutes les coquilles soient ouvertes ■ Retirez les moules des coquilles et tenez-les au chaud entre deux assiettes creuses posées sur une casserole d'eau bouillante ■ Chauffez un grand faitout d'eau légèrement salée. Ajoutez les spaghettis à l'ébullition et cuisez-les 10 mn à grand feu sans couvrir le faitout et en les remuant de temps en temps pour les détacher. Égouttez-les ■ Pendant ce temps, filtrez le jus de cuisson des moules, réchauffez la valeur de 4 cuil. à soupe et mettez-les dans un saladier. Battez-les à la fourchette avec le hachis de cerfeuil, l'huile et un peu de poivre ■ Ajoutez les spaghettis, les moules et le parmesan. Mélangez bien et servez sans attendre.

minceur

TAGLIATELLES DES EMBRUNS

Pour 4 Personnes

- □ 200 g de tagliatelles
- □ 250 g de noix de coquilles Saint-Jacques
- □ 1,5 dl de lait écrémé
- □ 200 g de petits pois écossés
- □ 1 cuil. à soupe de Maïzena
- □ 1 bouquet d'estragon
- □ 1 cuil. à soupe d'estragon haché
- □ sel, poivre du moulin

■ Cuisez les tagliatelles et les petits pois dans une grande quantité d'eau bouillante salée. Égouttez-les et tenez-les au chaud ■ Pendant ce temps, effeuillez le bouquet d'estragon et répartissez les feuilles dans la partie haute du cuit-vapeur. Salez et poivrez les noix de Saint-Jacques et posez-les sur les feuilles d'estragon. Cuisez-les à la vapeur 7 mn ■ Délayez la Maïzena dans une petite casserole avec le lait froid. Salez et poivrez. Mettez la casserole sur le feu et chauffez la sauce jusqu'au premier bouillon, ajoutez l'estragon haché et mélangez ■ Dans un saladier chaud, mettez les tagliatelles mélangées aux petits pois et les noix de Saint-Jacques ■ Tournez-les dans le saladier en incorporant petit à petit la sauce à l'estragon et servez sans attendre.

minceur

CANNELLONIS DU CASTEL MARIN

Pour 4 Personnes

- □ 2 beaux filets de merlan + 1 tête et des arêtes
- □ 200 g de cannellonis
- □ 4 poireaux
- □ 125 g de fromage blanc à 0 %
- □ 1/2 verre de vinaigre
- □ 1 oignon piqué d'un clou de girofle
- □ 2 œufs durs
- □ 1 bouquet garni
- □ 1 bouquet de ciboulette
- □ 1 bouquet de cerfeuil
- □ sel
- □ poivre du moulin

■ Hachez les œufs, le cerfeuil et la ciboulette ■ Faites chauffer 1 litre d'eau avec le bouquet garni, l'oignon, du sel et quelques grains de poivre ■ A l'ébullition, ajoutez la tête et les arêtes de poisson, couvrez et cuisez 40 mn ■ Épluchez et lavez les poireaux ; ajoutez-les au bouillon et poursuivez la cuisson 20 mn ■ Retirez les poireaux du bouillon, égouttez-les. Mixez-les avec le fromage blanc ■ Filtrez le bouillon, réchauffez-le et ajoutez dès l'ébullition les cannellonis. Cuisez-les 20 mn, égouttez-les ■ Chauffez le vinaigre avec 2 verres d'eau ; pochez les filets de merlan 10 mn dans ce liquide à peine frémissant ■ Égouttez-les et écrasez-les finement en y incorporant les hachis d'herbes et d'œufs. Salez et poivrez. Remplissez les cannellonis de cette farce, tenez-les au chaud ■ Réchauffez la sauce aux poireaux. Servez les cannellonis nappés de cette sauce.

minceur

SALADE DU CAPITAINE NEMO

P**our 4 Personnes**

- □ 200 g de petits coudes
- □ 3 calmars
- □ 1 verre de vin blanc sec
- □ 2 gousses d'ail
- □ 1 yaourt nature
- □ 8 feuilles de menthe fraîche
- □ 2 cuil. à café de moutarde
- □ piment
- □ sel

■ Cuisez les coudes 10 mn à l'eau bouillante salée, rincez-les, égouttez-les et laissez-les refroidir ■ Détachez les tentacules du corps des calmars. Ôtez l'os et les yeux ; lavez-les à l'eau courante ■ Cuisez-les 30 mn dans un mélange du vin et de 2 verres d'eau. Égouttez-les. Coupez les poches en fins anneaux, hachez les tentacules ■ Pelez les gousses d'ail, fendez-les en deux et ôtez le germe. Plongez-les 5 mn dans l'eau bouillante salée. Égouttez-les, hachez-les avec la menthe ■ Dans un saladier, battez le yaourt en y ajoutant le hachis d'ail et de menthe, une pincée de piment, la moutarde et du sel ■ Ajoutez dans le saladier les coudes et les calmars. Mélangez bien avant de servir.

minceur

MACARONIS SPINAZZOLA

Pour 4 Personnes

- ☐ 1 petit chou-fleur
- ☐ 200 g de macaronis
- ☐ 2 échalotes
- ☐ 1 gousse d'ail
- ☐ 25 g de provolone râpé
- ☐ 500 g de tomates
- ☐ 1/2 cuil. à café d'origan
- ☐ 1 cuil. à soupe d'huile d'olive
- ☐ sel, poivre du moulin

■ Lavez le chou-fleur à l'eau vinaigrée, retirez-en le trognon et séparez-le en petits bouquets. Pelez les échalotes et l'ail, hachez-les ■ Pelez et épépinez les tomates, mixez-les et passez-les au tamis pour recueillir le jus ■ Dans une cocotte, chauffez l'huile à feu moyen, dorez-y légèrement le hachis d'échalotes et d'ail avant d'ajouter le jus de tomate, les bouquets de chou-fleur, l'origan, du sel et du poivre ■ Couvrez la cocotte et laissez mijoter 45 mn à feu doux afin d'obtenir une sauce courte ■ Cuisez les macaronis 12 mn dans une grande quantité d'eau bouillante salée. Égouttez-les en les secouant afin d'en retirer le maximum d'eau ■ Mettez-les dans un saladier avec les bouquets de chou-fleur et la sauce ; mélangez-les en incorporant le provolone et servez sans attendre.

minceur

PÂTES MARCO POLO

Pour 4 Personnes

- □ 200 g de nouilles
- □ 3 oignons
- □ 1 morceau de racine de gingembre frais
- □ 1 petit chou vert
- □ 3 cuil. à soupe de sauce de soja
- □ 2 cuil. à soupe d'huile d'arachide

■ Pelez et râpez le gingembre. Ôtez le trognon et les feuilles flétries du chou. Lavez-le et coupez-le cru en fines lamelles. Pelez les oignons, émincez-les ■ Dans une cocotte, chauffez l'huile et faites dorer les oignons 5 mn avant d'ajouter les lamelles de chou. Cuisez-les à feu assez vif 10 mn, mais sans brûler, en tournant sans cesse afin que les lamelles de chou commencent à devenir transparentes. Ajoutez la sauce de soja et le gingembre râpé. Couvrez la cocotte et poursuivez la cuisson à feu moyen 20 mn ■ Pendant ce temps, cuisez les nouilles 10 mn à l'eau bouillante salée. Égouttez-les et mettez-les dans un saladier où vous ajouterez le chou. Mélangez-les, rectifiez l'assaisonnement si c'est nécessaire en ajoutant 1 cuil. à soupe de sauce de soja et servez sans attendre.

NOUILLES CÉLADON

minceur

Pour 4 Personnes

- □ 200 g de nouilles plates
- □ 500 g de petites courgettes
- □ 3 oignons
- □ 2 gousses d'ail
- □ 2 feuilles de laurier
- □ 2 cuil. à soupe d'huile d'olive
- □ sel, poivre

■ Lavez les courgettes, coupez-les en rondelles sans les peler. Pelez et hachez les oignons et l'ail ■ Huilez une cocotte avec 1 cuil. à soupe d'huile, mettez-y les rondelles de courgettes, le hachis d'oignons et d'ail, les feuilles de laurier, du sel, du poivre et 1/2 verre d'eau. Couvrez la cocotte, mettez-la sur le feu et laissez cuire 2 h à feu très doux ■ Cuisez les nouilles 10 mn dans une grande quantité d'eau bouillante salée ■ Égouttez-les et mettez-les dans un saladier chaud avec le reste d'huile. Mélangez-les pour les enrober d'huile avant d'ajouter les courgettes débarrassées des feuilles de laurier ■ Mélangez de nouveau et servez.

minceur

COUPE MARIE-THÉRÈSE

Pour 4 Personnes

- □ 4 œufs
- □ 1/4 de litre de lait écrémé
- □ 3 cuil. à café de Sucaryl liquide
- □ 1 cuil. à soupe de Maïzena
- □ 1 gousse de vanille
- □ 1 cuil. à café de rhum blanc
- □ 1 cuil. à soupe de noix de coco râpée
- □ 25 g de chocolat noir
- □ 1 pincée de sel

■ Chauffez le lait dans une casserole avec la vanille et la noix de coco râpée jusqu'à l'ébullition. Laissez-le refroidir ■ Cassez les œufs en séparant les blancs des jaunes ■ Battez les jaunes dans un saladier avec le Sucaryl puis ajoutez la Maïzena délayée dans le lait refroidi ■ Versez le tout dans une casserole et chauffez jusqu'à l'ébullition sans cesser de tourner ■ Filtrez cette crème avant d'ajouter le rhum. Laissez refroidir ■ Battez les blancs en neige ferme avec le sel, ajoutez-les délicatement à la crème refroidie ■ Versez dans une coupe et laissez au frais 4 h ■ Au moment de servir, râpez le chocolat sur le dessus de la coupe.

VERSEAU

minceur

Pour 4 Personnes

- ☐ 250 g de fromage blanc à 20 %
- ☐ 2 œufs entiers + 2 blancs
- ☐ 1 cuil. à café de cannelle en poudre
- ☐ 500 g de poires
- ☐ 2 cuil. à café de Sucaryl liquide
- ☐ 1 verre à liqueur de rhum blanc

■ Pelez les poires, coupez-les en quatre. Ôtez le cœur et les pépins puis coupez-les en tranches épaisses. Posez-les sur le fond d'un plat à revêtement antiadhésif. Saupoudrez-les de cannelle et arrosez-les de rhum ■ Dans un saladier, battez les œufs entiers en y incorporant peu à peu le fromage blanc et le Sucaryl ■ Battez les blancs en neige ferme avant de les ajouter délicatement à la préparation. Répartissez ce mélange par-dessus les tranches de poires et cuisez le flan à four chaud (170°, th. 5) 25 mn ■ Servez ce flan de préférence tiède.

VERSEAU BONNES HERBES ET PLANTES FAVORABLES

Avec vos idées bien arrêtées vous faites peu confiance à la médecine traditionnelle. Sauf dans les cas graves, vous avez tendance à pratiquer l'automédication ou, à la rigueur, vous avez recours à l'homéopathie ou à l'acupuncture qui vous conviennent bien. Vous utilisez aussi volontiers les plantes.

La marjolaine est la plante fétiche que l'astrologie vous attribue. Elle croît dans les régions méditerranéennes et ses vertus sont connues depuis l'Antiquité. A la Renaissance, on en faisait cuire dans du miel pour soigner la toux et on en préparait une décoction qui, ajoutée dans le bain, était censée soigner les démangeaisons et calmer les nerfs.
Un peu tombée dans l'oubli de nos jours, elle est pourtant encore utilisée

dans les campagnes pour soigner la toux, les mauvaises digestions, les insomnies et les rhumatismes, vous pouvez vous en servir à ces fins.

En cas d'insomnie, faites une tisane avec 50 g de sommités fleuries (fraîches, n'en mettez que 35 g) infusées dans un litre d'eau bouillante. Prenez-en une tasse sucrée au miel avant de vous coucher.

En cas de rhumatismes, frictionnez-vous avec de l'huile de marjolaine que vous ferez vous-même dans un récipient en terre. Mettez 100 g de sommités fleuries (fraîches, si possible) et 1/2 litre d'huile d'olive de première pression. Mettez le récipient au bain-marie 2 h. Filtrez, mettez en bouteille et frictionnez de cette huile la partie douloureuse (très efficace aussi en cas de sciatique). Un bain dans lequel vous verserez une décoction faite avec 35 g de sommités fleuries bouillies 10 mn dans un litre d'eau calmera à la fois vos rhumatismes et vos nerfs.

Utilisez aussi la marjolaine dans votre cuisine. On l'appelle plus souvent *origan* comme en Italie où elle est très fréquemment employée sur les pâtes, les pizzas et les grillades. Il faut éviter de la cuire car elle prend un goût amer ; contentez-vous donc d'en saupoudrer vos plats lorsqu'ils sont cuits ou mettez-en dans les marinades qu'elle parfumera délicatement.

V os points faibles sont les mollets et les chevilles, les plantes peuvent aussi vous aider :

Pour soigner une entorse, vous pouvez utiliser la **douce amère** en faisant infuser 60 g de feuilles dans un litre d'eau

bonnes herbes et plantes favorables

bouillante, 10 mn. Après l'avoir filtrée, vous en ferez des compresses froides sur la cheville.

Vous pouvez aussi utiliser la **verveine.** Les Romains l'avaient surnommée « herbe de Vénus » et la considéraient, vous vous en doutez, comme un aphrodisiaque ; de même qu'au 1er Mai nous offrons à nos amis des bouquets de muguet pour leur porter bonheur, on offrait à Rome, au 1er de l'an, des bouquets de verveine. Une tisane faite avec 20 g de feuilles séchées infusées dans un litre d'eau bouillante permettra de faire des compresses chaudes ou froides qui apporteront un soulagement à la cheville foulée.

Cette même tisane, sucrée au miel, vous aidera à dormir si vous en buvez une tasse avant de vous coucher.

Pour soulager les jambes lourdes après une journée de travail, pensez au **gui.** Vous en ferez une tisane en laissant infuser 2 mn 10 g de tiges ou de feuilles de gui dans un litre d'eau bouillante. Buvez-en trois tasses par jour entre les repas.

Le **marronnier d'Inde** qui orne les rues et les jardins publics est également très efficace car il contient une forte proportion de tanin et autres corps chimiques qui sont anti-inflammatoires, vasoconstricteurs et astringents. Si vous l'associez à la **prêle** dont les analyses récentes ont démontré qu'elle est la plante la plus riche en silicium, vous obtiendrez une tisane excellente pour votre système veineux. Ces deux plantes étant très actives, demandez à votre pharmacien de réaliser le mélange et de vous conseiller sur la quantité de tisane que

bonnes herbes et plantes favorables

vous devrez prendre chaque jour. En principe un demi-litre préparé avec deux cuil. à soupe de plantes infusées pendant 5 mn.

Pour soigner les troubles circulatoires, l'hamamélis est recommandé. Faites-en une tisane en laissant macérer une heure dans un litre d'eau bouillante 10 g de feuilles séchées. Prenez-en trois tasses par jour, loin des repas.
En faisant infuser 40 g de feuilles séchées 10 mn dans un litre d'eau bouillante, on obtient une lotion à garder au frais et à utiliser pour laver le visage en cas de couperose. Pensez aussi au **calendula** qui n'est autre que le souci des jardins : faites macérer 20 g de fleurs et de feuilles séchées dans un litre d'eau bouillante 10 mn et lavez-vous en le visage.
Une cure de **jus de citron** est aussi excellente pour la circulation. Commencez par le jus d'un demi-citron le matin ; le lendemain, prenez le jus d'un citron entier ; le surlendemain le jus d'un citron et demi et ainsi de suite jusqu'à 3 citrons. Buvez le jus de 3 citrons pendant une semaine, puis allez en diminuant : 2 citrons et demi, 2 citrons... et ainsi de suite jusqu'à 1/2 citron. Arrêtez alors la cure. Si l'acidité vous gêne, vous pouvez ajouter du miel. Prenez surtout soin d'utiliser des citrons très mûrs et non traités.
La **cannelle** a également des propriétés stimulantes pour le système sanguin. Connue depuis l'Antiquité, elle parfumait le vin des Romains. Vous pouvez préparer une boisson efficace en faisant bouillir dans un litre de bon vin rouge, pendant 5 mn, 40 g de cannelle et une

demi-gousse de **vanille.** Prenez-en un verre avant le déjeuner.

Si vous avez une tension élevée, consultez un médecin, l'hypertension peut avoir de graves conséquences. Mais les plantes peuvent aider à la faire baisser. **L'ail** surtout et nous ne saurions trop vous recommander d'en mettre dans vos aliments. L'idéal serait d'en consommer une gousse par jour. Si vous avez peur de devenir trop « odorant » voici un petit truc : faites sécher des gousses d'ail non pelées au four doux jusqu'à ce qu'elles soient parfaitement dures. Vous les placerez dans un moulin à vis et les utiliserez à la place du sel car vous savez qu'il est mauvais pour les artères.
L'olivier est aussi hypotenseur. Faites une tisane avec 45 à 50 g de feuilles séchées que vous laisserez bouillir dans un litre d'eau 15 m (le liquide doit réduire d'un quart, c'est-à-dire qu'il doit vous rester 3/4 de litre de tisane). Filtrez, gardez au frais et prenez-en une tasse sucrée au miel tous les jours pendant une semaine.

Pour faciliter la digestion, le raifort est d'un emploi courant dans les pays nordiques comme condiment (on le trouve en pots, râpé, nature ou mélangé à de la betterave rouge qui en atténue le goût très fort) ou en faisant une décoction dont voici la recette. Prenez 20 g de racine séchée (vous en trouverez en pharmacie), faites-la bouillir 10 mn dans un litre d'eau et filtrez. Buvez-en trois tasses par jour. Vous pouvez également en faire une sauce délicieuse

bonnes herbes et plantes favorables

pour accompagner les viandes bouillies.
Prenez 3 cuillerées à soupe rase de
raifort nature, mélangez-y 1/2 cuillerée
à soupe de cassonade, 2 de vinaigre et
4 de crème fraîche épaisse.

Pour combattre la fatigue vous
connaissez cette plante que l'on trouve
sur les marchés sous le nom de **« persil
arabe »** ou de **« persil chinois »**, elle est
très efficace. Vous en utiliserez les graines. Faites-en bouillir 35 g dans un litre
d'eau et prenez-en une tasse après chaque repas pendant trois semaines.
Vous pouvez également en cas de fatigue due au surmenage, avoir recours à
la **sauge**. Vous en ferez une tisane avec
25 g de fleurs et de feuilles infusées
10 mn dans l'eau bouillante. Prenez-en
une bonne tasse après chaque repas.
Le **vin de sauge** est aussi un très bon
remontant : 60 g de feuilles de sauge
macérées dix jours dans un litre de vin
rouge. Buvez-en un verre à porto chaque jour avant le déjeuner.

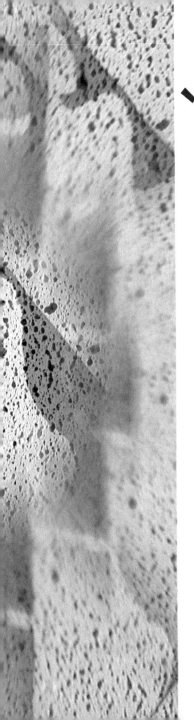

PERSONNALITÉS

VERSEAU
PERSONNALITÉS

**Tous en scène les Verseau !
C'est le signe des acteurs : de
Humphrey Bogart à James Dean, de
Michel Serrault à Daniel Auteuil (nés
tous deux le même jour que Fernand
Ledoux), de Jeanne Moreau à Mia
Farrow, Clark Gable, Dufilho,
Galabru, Claude Rich, Jules Berry,
Dussolier, Villeret...**

C'est le signe des metteurs en scène —
Lubitsch, Dreyer, Ford, Mankiewicz,
King Vidor, Zeffirelli, Forman, Costa
Gavras — et des auteurs — Marivaux,
Beaumarchais, Brecht, Tchekhov...
Mozart aussi avait un grand sens de
l'action dramatique et tous, romanciers
ou hommes politiques ont toujours su
jouer — ou faire jouer — des personna-
ges. A l'extrême, on trouve Ronald
Reagan, cow-boy de western promu au
grand premier rôle mondial, Mac Enroe

108

avec son véritable numéro de cirque pendant ses championnats et le génial Albert Einstein qui tire la langue à l'absurdité de l'époque mais, en bon Verseau, sourit des yeux à l'espérance.

Stendhal a écrit dans la *Vie de Henri Brulard* : « Les épinards et Saint-Simon ont été mes seuls goûts durables. » Mérimée, qui l'a bien connu, raconte que Stendhal « aimait la bonne chère ; cependant il trouvait du temps perdu celui qu'on passe à manger, et souhaitait qu'en avalant une boulette le matin on fût quitte de la faim pour toute la journée... Nous aimions à l'entendre parler des campagnes qu'il avait faites avec l'empereur. Pendant la retraite, il n'avait pas trop souffert de la faim, mais il lui était absolument impossible de se rappeler comment il avait mangé et ce qu'il avait mangé, si ce n'est un morceau de suif qu'il avait payé 20 francs et dont il se souvenait encore avec délices ».

Lord Byron était un homme aux goûts raffinés : « Rien n'est plus délicieux dans la vie que le coin du feu, une salade de homard, du champagne et la causette. »

Serge Lama définit la gourmandise comme « un acte sexuel qui s'accomplit par la bouche ». Son meilleur souvenir à table ? « Un bœuf mode épicé d'un regard de femme à l'ancienne. » Il fait la cuisine « en dilettante » et l'on comprend aisément qu'il ne veuille pas donner ses recettes !

« De toutes manières, dit-il, elles sont mieux réussies par les Troisgros. » (De quelle cuisine s'agit-il ?)
Son plat préféré ? « Celui qui me fait prendre 3 kilos. » (?)
Son plat détesté « Celui qui me les fait perdre. »
Il s'interdit « deux repas par jour », aime le faux-filet, la sole, la tomate, les chèvres, la pêche et le vin. Enfin, pour la gourmandise, il préfère évidemment manger chez lui !

Valéry Giscard d'Estaing aime beaucoup le poisson et déjeune souvent rapidement de deux œufs au plat (jamais d'œufs brouillés, qui l'ennuient). Le chef de l'Élysée, Marcel Le Servot raconte que c'est le président le plus novateur qu'il ait rencontré (du point de vue gastronomique). « Il aimait la cuisine qui bouge, mais fine toujours... » Il connaissait les bonnes tables et pour lui plaire « il fallait se casser la tête pour se tenir au courant de ce qu'il avait découvert à l'extérieur ».

Madame de Sévigné, dans ses lettres à sa fille, Madame de Grignan, donne une foule de détails sur sa gourmandise. On y apprend — entre autres particularités — que la marquise faisait des gaufres, qu'elle aimait les tiges d'angélique confites « qui ne ressemble à aucun autre goût que le sien », que dans sa terre des rochers elle faisait faire du beurre dans lequel elle mettait « des petites herbes fines et des violettes » et de la crème « pour la mêler avec du sucre et du bon café ». Mais bientôt : « Le café est tout disgracié, le chevalier croit qu'il échauffe et qu'il met le sang en mouvement... je n'en prends plus, le riz prend la place. » « Quant au chocolat il vous flatte pour un temps, puis il vous allume tout d'un coup une fièvre continue qui vous conduit à la mort... » Tenons-nous-en donc aux nourritures moins nouvelles, pense la gourmande marquise, enthousiasmée par un pâté en croûte : « Oh ! ce pâté ma mie ; Oh ! ce fumet, cette saveur ! Oh ! cette croûte plus dorée, plus blonde... Oh ! ces canards qui reposent dans ses flancs comme dans un écrin, et le tout embaumé de piments, d'aromates, dont le secret vient doubler le plaisir ! »

Marivaux, le spirituel auteur de *La Double Inconstance* et de tant de pièces célèbres préférait le marivaudage à la bonne chère. Il a écrit sévèrement :
« Les gourmands perdent la moitié de leur temps en peine de ce qu'ils mangeront, ils ont là-dessus un souci machinal qui dissipe une grande partie de leur attention pour le reste. »
Pourtant dans *Le Paysan parvenu* il admet : « C'est une chose séduisante que la nourriture lorsqu'on a du chagrin ; il est certain qu'elle met du calme dans l'esprit. »

Fernand Ledoux, aime « la cuisine remarquable de ma femme, refuse les convives qui coupent la digestion quoique... pour un cassoulet ou une bouride... »
A quatre-vingt-dix ans, son plat préféré reste le « lièvre à la royale ou une belle pomme de son jardin de Normandie, pour son goût naturel et les vertus qui

personnalités

se cachent sous sa peau ».

Il aime aussi le livarot et les fromages normands, les petits pois en conserve (meilleurs que les frais !) les poissons sans arêtes, les petites crevettes grises de Honfleur mais décortiquées, et le bordeaux rouge plus que le champagne. *Goupil Mains-rouges*, paysan, trempe sa tartine du matin dans son thé — « une des meilleures choses qui soient » — le baron des *Visiteurs du soir*, déteste attendre son café, « il aide à la digestion, le temps passé il perd sa qualité et sa raison d'être ».

Grand amateur de « douceurs », Fernand Ledoux apprécie particulièrement la tarte aux pommes que prépare sa femme : « inouïe de légèreté ». La recette de Madame Ledoux : deux minutes de préparation et cinquante ans d'expérience !

Louis XV était un grand cuisinier, amateur de la nouvelle cuisine de son époque. Il inventait des plats — le poulet au basilic était une de ses réussites avec l'omelette aux pointes d'asperges qu'il imagina pour Madame de Pompadour. A sa favorite, qu'il trouvait parfois trop froide, il faisait aussi manger des animelles (testicules de bélier). Le roi préparait lui-même son café qu'il voulait fraîchement grillé et moulu et raffolait du fromage de Roquefort qui ne manquait jamais à sa table à la meilleure saison qu'il jugeait être l'automne. Louis XV était jaloux du cardinal de Bernis qui préparait « un dessert exquis : les crêpes au Marsala » et se régalait chez le maréchal de Soubise qui lui faisait servir la fameuse « Omelette à la royale » composée d'œufs de faisan

112

personnalités

et de perdrix rouge, de crêtes de coq, de rognons de chapon, de champignons, de filets de cailles et d'ortolans, etc ; elle coûtait au maréchal cinquante écus, somme considérable à l'époque.

Anne de Bretagne aimait tant les oranges qu'elle fit construire la première orangerie de France dans son château de Blois.

Thomas More, le saint chancelier anglais qu'Henri VIII fit décapiter aimait les plantes : « Quant au romarin, a-t-il écrit, je le laisse recouvrir les murs de mon jardin non seulement parce que les abeilles l'adorent mais parce que c'est la plante sacrée du souvenir et de l'amitié dont un seul de ses brins parle le langage muet. »

Charles Dickens appréciait à sa façon le Christmas Pudding « Oh, cette odeur, la même qui règne un jour de lessive, celle du linge qui entoure le pudding... Un boulet de canon tout bariolé, bien ferme, arrosé d'eau-de-vie en train de flamber et décoré d'une branche de houx plantée au milieu. »

Fontenelle, dont l'élégance de plume masque souvent la profondeur de pensée était, en bon Verseau, un homme qui croyait à la science et au progrès de l'humanité. C'était aussi un gastronome, pas toujours tendre pour ses amis. C'est lui qui a écrit : « Bon estomac et mauvais cœur, c'est le secret pour vivre longtemps. » Il aimait beau-

personnalités

coup les asperges surtout accommodées à l'huile. Un jour que l'abbé Terrasson — qui, lui, au contraire, les aimait au beurre était venu lui demander à dîner, Fontenelle déclara qu'il faisait un grand sacrifice en lui cédant la moitié de son plat d'asperges et ordonna qu'on la lui préparât au beurre. Peu de temps avant de se mettre à table, l'abbé se trouva mal et tomba en apoplexie. Fontenelle se leva alors précipitamment, courut à la cuisine et cria :

« Tout à l'huile, maintenant, tout à l'huile ! »

Fontenelle répondit à un ami qui lui disait que le café tue lentement mais sûrement : « Il y a quatre-vingts ans que j'en prends (il en buvait trois tasses par jour), il faut qu'il soit bien lent, en effet, pour que je ne sois pas mort. »

Il devait avoir « bon estomac, et mauvais cœur » puisqu'il mourut centenaire !

Ronald Reagan raffole des macaronis au fromage mais s'autorise rarement cet écart de régime. Son menu quotidien : petit déjeuner : café, toasts, céréales, jus d'orange. Déjeuner : lunch rapide dans la petite salle à manger aménagée à côté de son célèbre bureau ovale : soupe, salade, glace (sa préférée, à la vanille) accompagnée de thé ou café glacé. A la fin de la journée un verre et un seul de vodka américaine avec du tonic. Le dîner du président des États-Unis se compose d'un consommé, d'une viande grillée avec une salade et d'un dessert léger. Un peu, très peu de vin, du bordeaux : haut-brion ou mouton-rothschild. Ronald Reagan va souvent au cinéma le soir avec sa famille, dans la salle de projection de la Maison Blanche mais à 11 h, pas plus tard, il est couché et éteint sa lumière.

Colette, toujours exhubérante, déclare : « Si je ne peux avoir trop de truffes, je me passerai de truffes ! » Et puis, « Si j'avais un fils je lui dirais : n'épouse pas une fille qui n'aime ni les truffes, ni le vin, ni le fromage, ni la musique. »
Colette qui aimait mijoter lentement de grandes marmites savait de quoi elle parlait quand elle disait : « Si vous n'êtes pas capable d'un peu de sorcellerie, ce n'est pas la peine de vous mêler de cuisine [...] Les ménagères sont encore habituées à peser sans balance, mesurer le temps sans horloge, surveiller le rôti avec les seuls yeux de l'âme et mêlent œufs, beurre, farine, selon l'inspiration, comme les bénignes sorcières. »

Talleyrand était sans conteste le plus fin gastronome de son époque. Son cuisinier le célèbre Carême a écrit : « M. de Talleyrand entend le génie du cuisinier. C'est qu'il le respecte et qu'il est le juge le plus compétent des progrès délicats et que sa dépense est sage et grande tout à la fois. » Le ministre des Affaires étrangères rendait justice à son cuisinier en écrivant à son tour : « On dit que j'ai sauvé la monarchie et le royaume. J'y suis arrivé bien davantage par les casseroles de Carême que par les rapports de mes ambassadeurs. » A quatre-vingts ans il passait tous les matins une heure avec son cuisinier et discutait avec lui tous les plats de son dîner, seul repas qu'il fît, car le matin il ne prenait, avant de se mettre au travail, que deux ou trois tasses de camomille. C'est Talleyrand qui a fait la fameuse comparaison : « L'Angleterre a trois sauces et 360 religions, la France a trois religions et 360 sauces. »

L'empereur Hadrien d'après ses contemporains et le livre de Marguerite Yourcenar, avait toutes les qualités d'esprit du Verseau. Elle lui fait dire : « Une opération qui a lieu deux ou trois fois par jour, et dont le but est d'alimenter la vie, mérite assurément tous nos soins. »
Et plus loin :
« Trop manger est un vice romain, mais je fus sobre avec volupté. »

Georges Simenon a des goûts plus modestes : « Je tiens à manger des moules et des frites dans une petite friture de la rue Lulay à Liège, comme jadis après minuit, avec mes amis de la Cagne. »

Frédéric II, l'ami de Voltaire que Louis XV jugeait « sans religion, sans mœurs et sans principe » non content d'écrire des ouvrages politiques importants comme l'*Antimachiavel*, composait des poèmes. Homme de goût raffiné, le roi de Prusse soignait fort sa table et son cuisinier. Pour fêter la nouvelle année, il lui envoya ses vœux en vers :
« Que de filets par vous imaginés
Que de pâtés par vos mains façonnés
Que de hachis, de farces délectables

personnalités

Dont nos palais toujours enchantés
Sont mollement chatouillés et flattés ».

Lewis Carroll, père d'*Alice au pays des merveilles*, écrivit : « Merveilleuse soupe ! Qui se soucie de poisson, gibier ou tout autre plat ? Qui ne donnerait tout le reste pour deux sous seulement de merveilleuse soupe ? »

J.K. Huysmans dans *A rebours* imagine un orgue de liqueurs dont son héros des Esseintes joue en virtuose. Des petits tonneaux alignés sont percés de robinets d'argent de manière qu'il suffit de toucher un bouton pour que les canelles tournent et remplissent les verres. Des Esseintes exécute le concert avec le curaçao — clarinette — le Kummel — haubois — l'anisette — flûte —, etc. C'est un cocktail-concert !
La table de Huysmans était d'un raffinement extrême ; on y dégustait par exemple une tranche de foie gras recouverte d'un large champignon cuit lentement à l'huile d'olive avec des aromates et soigneusement égoutté. Il aimait aussi croquer, avant chaque morceau de poire, une petite feuille de menthe.

James Joyce ne buvait que du vin blanc qu'il trouvait « spirituel », il avait une préférence pour le vouvray et dédaignait le rouge « grossier ». Il rencontra une seule fois Marcel Proust à la fin d'une soirée parisienne en l'honneur de Diaghilev. Les deux plus grands romanciers du XXe siècle partagèrent le taxi de leur hôte, M. Schiff ; Proust demanda à Joyce s'il aimait les truffes. Joyce les aimait. La conversation en resta là. Aucun des deux n'avait lu l'œuvre de l'autre !

Littré, le linguiste auteur du célèbre dictionnaire, fait la distinction entre : « Le gourmand, celui qui aime manger. Le goinfre, celui dont la gourmandise a quelque chose d'ignoble et de repoussant. Le goulu, celui qui jette avec voracité, dans sa bouche ou goule ce qu'il mange. Le glouton celui qui engloutit. Quant au gourmet, c'est la fine gueule et surtout celui qui sait goûter et reconnaître les vins. »

Rika Zaraï, en vraie Verseau, croit aux médecines douces et aux vertus des plantes ; en vraie Verseau aussi elle veut aider les autres. Son succès est à la mesure de la sincérité de ses convictions.
Elle préfère manger « chez elle ou chez des amis diététiciens », prévient les grands restaurants où elle doit aller afin qu'ils lui « préparent des choses simples ». Apprécie « toutes les salades mélangées et puis les céréales, les carottes, le chèvre sec, la papaye et l'eau citronnée ». Jamais de viande, elle voue une horreur particulière au gibier faisandé, au porc et au cheval.
Pensant que « la gourmandise c'est manger avec les yeux d'abord autant qu'avec la bouche », Rika Zaraï avoue être gourmande ; son « péché mignon : une figue fourrée d'une datte, fourrée d'une noix ! »
Avant de chanter, elle mache très lentement une datte et si elle n'a « absolu-

ment pas le temps de faire la cuisine » elle donne avec sa grande gentillesse habituelle une recette pour « les ané-miés, nerveux, anxieux, fatigués » pour tout le monde, en somme, c'est :

LA SALADE MÉLANGÉE DE RIKA ZARAÏ

3 grosses carottes râpées mélangées à une betterave moyenne crue et râpée. Assaisonner d'huile d'olive de première pression à froid, de citron, de sel marin et de cerfeuil.

Françoise Dorin trouve que la gour-mandise est « un des plaisirs de la vie, à condition de ne pas introduire dans la gourmandise une notion de gloutonne-rie ». Préfère y substituer le terme de « gourmetterie ». Auteur heureux de succès à répétition — *l'Intoxe*, *la Facture* —, au théâtre comme dans ses romans, Françoise Dorin aime manger chez elle mais surtout pas faire la cuisine, à part les œufs à la coque qu'elle fait « d'ins-tinct » !

Elle déteste « le poivron sous toutes ses formes », raffole du saumon en papillo-tes et puis du mouton, camembert, brugnon et bordeaux rouge. Elle s'in-terdit les graisses, boit beaucoup d'eau minérale, porte du rose par supersti-tion : « Ça porte bonheur et ça fait un joli teint. » Son meilleur souvenir gas-tronomique ? « La fête exceptionnelle donnée pour les quatre-vingts ans de Madame Madeleine Point, à laquelle participaient tous les grands chefs de cuisine, passés par l'école de Fernand Point. »

personnalités

É**dith Cresson** ne déteste aucun plat :
« Tout peut être bon, c'est une question
de préparation », Madame la ministre
— (elle tient au « la » plus féministe et
plus français) préfère « le veau Orloff,
le homard à l'américaine et puis la
daurade, les fonds d'artichaut, les man-
gues et le bon vin rouge ». Édith Cresson a réussi à préserver sa vie de femme
et sa vie familiale malgré toutes ses
occupations et ses responsabilités mu-
nicipales et politiques. Elle trouve
même le temps de faire — et de bien
faire — la cuisine ! Sa recette, extrê-
mement raffinée, est à servir pour un
repas de fête c'est :

LE FAISAN FARCI
AVEC SA SAUCE CUMBERLAND
D'ÉDITH CRESSON

Le faisan est farci avec un mélange
d'épaule de veau et de foies de volaille
hachés, revenus au beurre avec des échalotes, sel, poivre, on y ajoute des pelures
de truffe et des morceaux de marrons.
Puis on enveloppe le faisan dans des
tranches de lard non fumé et on le met à
cuire dans une cocotte au four moyen. Il
est servi avec une purée de marrons et
une sauce Cumberland : 3 échalotes
hachées cuites 5 minutes dans un peu
d'eau, les zestes d'un citron et d'une
orange coupés fins cuits 10 minutes à
l'eau. Le tout dans une petite casserole
avec 1/2 pot de gelée de groseille, le jus
de l'orange et du citron, un verre de
porto, 2 cuillerées à café de moutarde
forte, un peu de Cayenne, beaucoup de

personnalités

gingembre, à cuire un petit quart d'heure tout doucement. On peut ajouter un peu de confiture de mûres dans la saucière pour épaissir et adoucir.

19 Janvier au 19 Février

19 JANVIER

Bernardin de Saint-Pierre, 1737. – Auguste Comte, 1798. – Edgard Poe, 1809. – Charles Secrétan, 1815. – Paul Cézanne, 1839. – Daniel Rops, 1901. – Patricia Highsmith, 1921.

20 JANVIER

Ampère, 1775. – Raymond Roussel, 1877. – Franklin Delano Roosevelt, 1882. – Federico Fellini, 1920. – Robert Lamoureux, 1920. – Placido Domingo, 1941. – Michel Jonasz, 1947.

21 JANVIER

Maréchal Weygand, 1867.

22 JANVIER

Lord Byron, 1788. – Auguste Strindberg, 1849. – Francis Picabia, 1879. – Louis Pergaud, 1882. – Marcel Dassault, 1892. – Bruno Kreisky, 1911.

23 JANVIER

Mansart, 1598. – Tallien, 1767. – Stendhal, 1783. – Edouard Manet, 1832. – Paul Langevin, 1872. – Albert Einstein, 1898. – Humphrey Bogart, 1899. – André Castelot, 1911. – Michel Droit, 1923. – Françoise Dorin, 1928. – Jeanne Moreau, 1928.

24 JANVIER

Hadrien, 76 ap. J.-C. – Beaumarchais, 1732. – Hoffmann, 1776. – Vicki Baum, 1888. – Fernand Ledoux, 1897. – Maurice Couve de Murville, 1907. – Georges Lautner, 1926. – Michel Serrault, 1928. – Edmond Maire, 1931. – Nastasia Kinsky, 1961. – Daniel Auteuil, 1950.

25 JANVIER

Melle Clairon, 1723. – Madame de Genlis, 1746. – W. Furtwängler, 1866. – Somerset Maughan, 1877. – Virginia Woolf, 1882. – Paul Spaak, 1899. – Christian Dior, 1905.

26 JANVIER

Anne de Bretagne, 1476. – Achim von Arnim, 1781. – Eugène Sue, 1804. – Savorgnan de Brazza, 1852. – Van Dongen, 1877. – Général Mac Arthur, 1880. – Stéphane Grappelli, 1908. – Robert Etiemble, 1909. – Eddy Barclay, 1921. – Roger Vadim, 1928. – Fernand Legros, 1931. – Bernard Tapie, 1945. – Patrick Dewaere, 1947. – Michel Sardou, 1947

27 JANVIER

Fouquet, 1615. – D. Bernouilli, 1782. – Mozart, 1756. – Violette Leduc, 1814. – Edouard Lalo, 1823. – Lewis Carrol, 1832. – Sacher Masoch, 1836. – Guillaume II, 1859. – Ilia Ehrenbourg, 1891. – Claude Labbé, 1920. – Edith Cresson, 1934.

19 Janvier au 19 Février

28 JANVIER

Colette, 1873. — Blasco Ibanez, 1867. — Françis de Croisset, 1877. — Professeur Picard, 1884. — Ernst Lubitsch, 1892. — Marthe Keller, 1945.

29 JANVIER

Anton Tchekhov, 1860. — Romain Rolland, 1866. — Henri Bordeaux, 1870. — Victor Mature, 1915. — José-Luis de Vilallonga, 1920. — Pierre Tchernia, 1928. — Tom Selleck, 1945.

30 JANVIER

Michel Galabru, 1929. — Gene Hackman, 1931. — Warren Beatty, 1937.

31 JANVIER

Schubert, 1797. — Anna Pavlova, 1885. — Marcel Julian, 1922. — Norman Mailer, 1923.

1ᵉʳ FÉVRIER

E. Littré, 1801. — Paul Fort, 1872. — John Ford, 1895. — Clark Gable, 1901. — Stéphanie de Monaco, 1965.

2 FÉVRIER

James Joyce, 1882. — Valéry Giscard d'Estaing, 1926.

3 FÉVRIER

Mendelssohn, 1809. — Gertrude Stein, 1874. — Carl Dreyer, 1889. — Maréchal de Lattre de Tassigny, 1889. — Jacques Soustelle, 1912. — André Cayatte, 1909. — Françoise Christophe, 1925.

4 FÉVRIER

Marivaux, 1688. — Jean Aicard, 1848. — Jean Richepin, 1849. — Jacques Copeau, 1879. — Fernand Léger, 1881. — Hugo Betti, 1892. — Lindberg, 1902. — Ida Lupino, 1918.

5 FÉVRIER

Madame de Sévigné, 1626. — Mademoiselle Mars, 1779. — J.-K. Huysmans, 1848. — Pierre Pflimlin, 1907.

6 FÉVRIER

Marlowe, 1564. — Ramon Novarro, 1899. — Ronald Reagan, 1911. — Eva Braune, 1912. — François Truffaut, 1932. — Jacques Villeret, 1951.

7 FÉVRIER

Thomas More, 1478. — Charles Dickens, 1812. — Juliette Gréco, 1927.

8 FÉVRIER

Agrippa d'Aubigné, 1552. — A. Grétry, 1741. — Jules Verne, 1828. — King Vidor, 1896. — Jack Lemmon, 1925. — Claude Rich, 1929. — James Dean, 1931. — Mia Farrow, 1945.

19 Janvier au 19 Février

9 FÉVRIER

Citroën, 1878. – Alban Berg, 1885. – Jules Berry, 1888. – Gabriel Péri, 1902. – Jacques Monod, 1910. – Ginette Leclerc, 1912. – Yves Ciampi, 1921.

10 FÉVRIER

A. Millerand, 1859. – E.A. Cingria, 1883. – G. Ungaretti, 1888. – B. Pasternak, 1890. – B. Brecht, 1898. – Joseph Kessel, 1898. – A. Bernier, 1902. – Pierre Mondy, 1925. – Jean-Luc Lagardère, 1928. – Robert Wagner, 1930.

11 FÉVRIER

Honoré d'Urfé, 1568. – B. de Fontenelle, 1657. – Edison, 1847. – Roi Farouk, 1920. – Joseph Mankiewicz, 1909.

12 FÉVRIER

Darwin, 1809. – A. Lincoln, 1809. – Léon Deibler, 1823. – Franco Zeffirelli, 1923. – Costa Gavras, 1933. – Margaux Hemingway, 1955.

13 FÉVRIER

Talleyrand, 1754. – Malthus, 1766. – Chaliapine, 1873. – Georges Papandréou, 1888. – Georges Simenon, 1903. – Jean-Jacques Servan-Schreiber, 1924. – Kim Novak, 1933.

14 FÉVRIER

Edmond About, 1828. – Général Bigeard, 1916.

15 FÉVRIER

Marie Tudor, 1516. – Louis XV, 1710. – John Barrymore, 1882. – Georges Auric, 1899. – Joël Le Tac, 1918.

16 FÉVRIER

Edgard Quinet, 1803. – H. de Vries, 1848. – Jean Nohain, 1900. – Georges Ulmer, 1919. – Georgina Dufoix, 1943. – Mac Enroe, 1959.

17 FÉVRIER

Galilée, 1546. – Corelli, 1653. – Laënnec, 1781. – J.H. Rosny aîné, 1856. – André Maginot, 1877. – Raf Vallone, 1917. – Paul Lombard, 1927. – André Dussolier, 1946.

18 FÉVRIER

André Breton, 1896. – Marcel Landowski, 1915. – Milos Forman, 1932. – Matt Dillon, 1964. – John Travolta, 1954.

19 FÉVRIER

Copernic, 1473. – J. Antoine de Baïf, 1532. – Boccherini, 1743. – Adelina Patti, 1843. – Louis Feuillade, 1873. – Jacques Dufilho, 1914. – Lee Marvin, 1924. – Rika Zaraï, 1940.

Aliments/calories

○ Exceptionnellement

☐ *Modérément*

△ Souvent

☆ *Indifférent*

ALIMENTS (100 g)	CALORIES
☆ *Abricots*	45
Secs	272
☐ *Agneau*	
Côtelettes	330
Gigot	250
△ **Ail**	138
☐ *Alcool*	700
△ **Amandes**	634
△ **Ananas**	
Frais	51
Conserve	96
○ Andouillette	320
☆ *Aneth*	0
△ **Artichaut**	40
△ **Asperge**	26
△ **Aubergine**	29
☆ *Avocat*	200
△ **Avoine**	
(flocons)	367
△ **Bacon**	385
☆ *Badiane*	0
△ **Banane**	90
☆ *Basilic*	0
△ **Bette ou blette**	33
△ **Betterave rouge**	40
○ Beurre	760
○ Beurre allégé	410
○ Beurre de cacao	886
☆ *Bière (1 canette)*	132-155
☆ *Biscottes*	390

ALIMENTS (100 g)	CALORIES
☐ *Bœuf*	
Grillades	180-240
Macreuse	242
Rosbif	160
○ Boudin blanc	300-350
○ Boudin noir	400-480
☆ *Brioche*	386
△ **Brocolis**	34
☆ *Cacahuètes*	600
☆ *Cacao en poudre*	325
☐ *Café*	0
☆ *Caille*	115
△ **Calmar**	89
☆ *Camomille*	0
○ Canard	170-300
△ **Cannelle**	0
☐ *Cary ou curry*	0
△ **Carotte**	38
☆ *Carvi*	0
☆ *Cassis*	60
△ **Caviar**	250-300
☐ *Cayenne (poivre)*	0
△ **Céleri-rave**	44
☆ *Cerfeuil*	0
△ **Cerises**	77
△ **Cervelle**	125
○ Chair à saucisse	422
☆ *Champagne*	
Doux	120
Brut	85
△ **Champignons**	28

ALIMENTS (100 g)	CALORIES	ALIMENTS (100 g)	CALORIES
☆ *Chapelure*	382	△ **Figues**	
☆ *Châtaignes*	211	**Fraîches**	80
☆ *Cheval*	110	*Sèches*	270
△ **Chevreau**	160	△ **Flageolets**	120
△ **Chocolat**	600	△ **Foie**	133
△ **Chou**	28	○ Foie gras	468
△ **Choux de**		△ **Fraises**	36
Bruxelles	54	△ **Framboises**	40
△ **Chou-fleur**	30	☆ **Fromages**	270-400
△ **Choucroute**	27	☆ **Fromage blanc**	
△ **Ciboulette**	0	*à 0 %*	44
☆ *Cidre*	40	*à 20 %*	80
△ **Citron**	40	*à 40 %*	116
☆ *Clémentines*	40	☆ *Fruits confits*	380
☆ *Clous de girofle*	0		
☆ *Cœur de palmier*	56	□ **Gibier**	100-115
☆ *Coing*	32	□ **Gingembre**	61
△ **Concombre**	13	☆ *Girofle*	
△ **Confitures**	280	*clous*	0
△ **Coquillages**	47-78	☆ *Goyave*	52
△ **Coriandre**	275	☆ *Grenade*	64
△ **Corn-flakes**	385	☆ *Grenouille*	
△ **Courgette**	30	*(cuisses)*	72
△ **Couscous**	575	△ **Groseilles**	30
□ **Crème fraîche**	300		
△ **Cresson**	20		
△ **Crustacés**	98	△ **Haricots verts**	40
☆ *Cumin*	0	△ **Huiles**	
		Olive	900
		Arachide	900
△ **Dattes**	306	*Tournesol*	900
△ **Dinde (blancs)**	160	*Maïs*	900
		Noix	900
△ **Échalotes**	75	△ **Huîtres**	80
△ **Endives**	20		
△ **Épinards**	25	△ **Jambon**	
○ Escargots	67	**Cru**	330
☆ *Estragon*	0	**Cuit**	290
☆ *Farines*	360	☆ *Kaki*	63
△ **Fenouil**	20	☆ *Ketchup*	110
△ **Fève**	117	△ **Kiwi**	53

ALIMENTS (100 g)	CALORIES
☆ *Lait*	
Écrémé	34
Entier	65
☆ *Langue*	200
△ **Lapin**	160
○ Lard	575
Fumé	670
☆ *Laurier*	0
△ **Lentilles**	338
☆ *Levure de Bière*	350
☆ *Litchis*	354
△ **Maïs**	356
☆ *Mangue*	62
△ **Margarines**	755
△ **Marjolaine**	0
○ Mayonnaise	718
☆ *Melon*	31
☆ *Menthe (feuilles)*	0
△ **Miel**	312
○ Moelle	605
☆ *Moutarde*	97
○ Mouton	
Côtes	300
Gigot	250
△ **Mûres**	57
△ **Myrtilles**	16
△ **Navet**	35
☆ *Noisettes*	656
△ **Noix**	660
△ **Noix de coco**	371
☆ *Noix de muscade*	0
☆ *Nuoc-mâm*	
(1 cuil. à café)	5
☆ *Œufs de poissons*	225-300
△ **Œuf (unité)**	80
Jaune	60
Blanc	20
○ Oie	350
△ **Oignons**	46

ALIMENTS (100 g)	CALORIES
△ **Olives**	
Vertes	123
Noires	360
△ **Orange**	40
△ **Orge perlé**	356
☆ *Ortie*	57
△ **Oseille**	25
△ **Oursins**	95
☆ *Pain blanc*	255
△ **Pain complet**	230
△ **Pain de seigle**	241
☆ *Pain de son*	257
△ **Pamplemousse**	40
☆ *Papaye*	44
☆ *Paprika*	0
☆ *Pastèque*	30
△ **Patate douce**	110
△ **Pâtes**	90
☆ *Pêche*	47
△ **Persil**	0
△ **Petits pois**	70
△ **Pigeon**	108
△ **Pignons**	670
△ **Pilpil de blé**	342
□ *Piment*	0
△ **Pintade**	108
△ **Pissenlit**	48
☆ *Pistaches*	646
△ **Poire**	61
△ **Poireau**	42
△ **Pois cassés**	356
△ **Pois chiche**	330
△ **Poissons**	
Gras	150-225
Demi-gras	110-130
Maigres	65-90
Fumés	225-305
Séchés	320
□ *Poivre*	0
☆ *Poivron*	22
△ **Pomme**	52

ALIMENTS (100 g)	CALORIES	ALIMENTS (100 g)	CALORIES
△ **Pomme de terre**	90	☆ *Tilleul*	0
○ Pommes chips	560	△ **Tomate**	22
○ Pommes frites	300-400	△ **Topinambour**	78
○ Porc	300		
Côtes	330	△ **Vanille**	0
Échine	302	□ *Veau*	170
☆ *Porto*	160	*Foie*	137
△ **Potiron**	30	*Langue*	171
△ **Poule**	300	*Noix*	160
△ **Poulet**	150	*Ris*	116
☆ *Pousses de*		*Tête*	210
bambou	35	△ **Verveine**	0
☆ *Prunes*	56	☆ *Vin blanc à 10°*	72
☆ *Pruneaux*	290	☆ *Vin rouge à 10°*	56
		□ *Vinaigre*	0
☆ *Radis*	30		
△ **Raifort**	62	☆ *Yaourt à 0 %*	
△ **Raisin**	81	*(unité)*	44
☆ *Raisins secs*	324	△ **Yaourt nature**	
☆ *Rhubarbe*	16	**(unité)**	55
○ Rillettes	480-600	☆ *Yaourt aux fruits*	100
△ **Riz**	90		
☆ *Rognons*	120		
☆ *Romarin*	0		
☆ *Safran*	0		
○ Saindoux	850		
△ **Salades vertes**	18		
△ **Salsifis**	77		
☆ *Sarriette*	0		
△ **Sauge**	0		
☆ *Serpolet*	0		
☆ *Soja*			
Sauce	0		
Germe	52		
□ *Sucre*			
Roux	400		
☆ *Tabasco*	0		
☆ *Tapioca*	350		
△ **Thé**	0		
△ **Thym**	0		